AF238243

ACCESO GRATIS *a la Lectura en la Nube*

Para visualizar el libro electrónico en la nube de lectura envíe junto a su nombre y apellidos una fotografía del código de barras situado en la contraportada del libro y otra del ticket de compra a la dirección:

ebooktirant@tirant.com

En un máximo de 72 horas laborables le enviaremos el código de acceso con sus instrucciones.

TOMO IX
ESQUEMAS DE PROCEDIMIENTO ADMINISTRATIVO
5ª Edición

TOMO IX
ESQUEMAS DE PROCEDIMIENTO ADMINISTRATIVO

5ª EDICIÓN

JOSEP RAMON FUENTES I GASÓ
JUDITH GIFREU FONT
(Dirección)

Prólogo de
JUAN MANUEL ALEGRE ÁVILA

tirant lo blanch
Valencia, 2022

©   JOSEP RAMON FUENTES I GASÓ
      JUDITH GIFREU FONT
      LUCÍA CASADO CASADO
      ANNA PALLARÈS SERRANO
      AITANA DE LA VARGA PASTOR
      INÉS GIL CASIÓN
      LAURA PRESICCE

©   TIRANT LO BLANCH
    EDITA: TIRANT LO BLANCH
    C/ Artes Gráficas, 14 - 46010 - Valencia
    TELFS.: 96/361 00 48 - 50
    FAX: 96/369 241 51
    Email:tlb@tirant.com
    www.tirant.com
    Librería Virtual: www.tirant.es
    DEPÓSITO LEGAL: V-3497-2022
    ISBN: 978-84-1147-281-4
    MAQUETA: Tink Factoría de Color

Si tiene alguna queja o sugerencia, envíenos un mail a: atencioncliente@tirant.com. En caso de no ser atendida su sugerencia, por favor, lea en *www.tirant.net/index.php/empresa/politicas-de-empresa* nuestro Procedimiento de quejas.

Responsabilidad Social Corporativa: http://www.tirant.net/Docs/RSCTirant.pdf

Dirección:

DR. JOSEP RAMON FUENTES I GASÓ

*Profesor Titular de Derecho Administrativo
Director de la Cátedra d'Estudis Jurídics Locals
Màrius Viadel i Martín
Universitat Rovira i Virgili*

DRA. JUDITH GIFREU FONT

*Profesora Titular de Derecho Administrativo
Directora de la Cátedra Enric Prat de la Riba
de Estudios Jurídicos Locales
Universidad Autónoma de Barcelona*

Autorías:

DRA. LUCÍA CASADO CASADO

*Profesora Titular de Derecho Administrativo
acreditada de Catedrática
Universitat Rovira i Virgili*

DRA. ANNA PALLARÈS SERRANO

*Profesora Titular de Derecho Administrativo
Universitat Rovira i Virgili*

DRA. AITANA DE LA VARGA PASTOR

*Profesora Agregada de Derecho Administrativo
Universitat Rovira i Virgili*

DRA. INÉS GIL CASIÓN

*Jefa de Servicios de Recursos Humanos,
Organización y Calidad
Ayuntamiento de Salou
Profesora Asociada de Derecho Administrativo
Universitat Rovira i Virgili*

DRA. LAURA PRESICCE

*Técnica
Associació Catalana de Municipis i Comarques (ACM)
Profesora Asociada de Derecho Administrativo
Universitat Rovira i Virgili*

A la memoria de nuestro maestro el Dr. Manuel Ballbé Mallol,
Catedrático de Derecho Administrativo
Universitat Autònoma de Barcelona
(Barcelona, 4.11.1951 - †10.2.2020)

Índice

A) PROCEDIMIENTO
ADMINISTRATIVO GENERAL

Capítulo 1
LA INICIACIÓN DEL PROCEDIMIENTO ADMINISTRATIVO

Capítulo 2
LA INSTRUCCIÓN DEL PROCEDIMIENTO ADMINISTRATIVO

Capítulo 3
LA FINALIZACIÓN DEL PROCEDIMIENTO ADMINISTRATIVO

Capítulo 4
LOS MEDIOS DE IMPUGNACIÓN Y LOS ACTOS ADMINISTRATIVOS

Capítulo 5
LOS MEDIOS ALTERNATIVOS DE RESOLUCIÓN DE CONFLICTOS

Capítulo 6
LA EJECUCIÓN FORZOSA DE LOS ACTOS ADMINISTRATIVOS

B) PROCEDIMIENTOS
ADMINISTRATIVOS ESPECIALES

Capítulo 7
EL PROCEDIMIENTO SANCIONADOR

Capítulo 8
LOS PROCEDIMIENTOS DE EXPROPIACIÓN FORZOSA

Capítulo 9
LOS PROCEDIMIENTOS DEL RÉGIMEN DE SUBVENCIONES

Capítulo 10
LOS PROCEDIMIENTOS DE RESPONSABILIDAD PATRIMONIAL DE LAS ADMINISTRACIONES PÚBLICAS

Abreviaturas

Art.	Artículo
BOE	Boletín oficial del Estado
CC	Código Civil
CCAA	Comunidades Autónomas
CE	Constitución Española de 1978
DA	Disposición Adicional
DT	Disposición Transitoria
LCSP	Ley 9/2017, de 8 de noviembre, de Contratos del Sector Público, por la que se trasponen al ordenamiento jurídico español las Directivas del Parlamento Europeo y del Consejo 2014/23/UE y 2014/24/UE, de 26 de febrero de 2014
LEC	Ley 1/2000, de 7 de enero, de Enjuiciamiento Civil
LEF	Ley de 16 de diciembre de 1954 de Expropiación Forzosa
LGP	Ley 47/2003, de 26 de noviembre, General Presupuestaria
LGT	Ley 58/2003, de 17 de diciembre, General Tributaria
LGS	Ley 38/2003, de 17 de noviembre, General de Subvenciones
LHL	Real Decreto legislativo 2/2004, de 5 de marzo, por el que se aprueba el texto refundido de la Ley de las Haciendas Locales
LJCA	Ley 29/1998, de 13 de julio, Reguladora de la Jurisdicción Contencioso-Administrativa
LOPJ	Ley orgánica 6/1985, de 1 de julio, del Poder Judicial
LPA	Ley de Procedimiento Administrativo
LPACAP	Ley 39/2015, de 1 de octubre, del Procedimiento Administrativo Común de las Administraciones Públicas
LRBRL	Ley 7/1985, de 2 de abril, Reguladora de las Bases del Régimen Local

LRJPAC	Ley 30/1992, de 26 de noviembre, de Régimen Jurídico de las Administraciones Públicas y del Procedimiento Administrativo Común, modificada por la Ley 4/1999, de 13 de enero
LRJSP	Ley 40/2015, de 1 de octubre, de Régimen Jurídico del Sector Público
RD	Real Decreto
REF	Decreto de 26 de abril de 1957, que aprueba el Reglamento de desarrollo de la Ley de Expropiación Forzosa
RGR	Real Decreto 939/2005, de 29 de julio, por el que se aprueba el Reglamento General de Recaudación
RPPS	Real Decreto 1398/1993, de 4 de agosto, por el que se aprueba el Reglamento del procedimiento para el ejercicio de la Potestad Sancionadora
STC	Sentencia del Tribunal Constitucional
STS	Sentencia del Tribunal Supremo
TC	Tribunal Constitucional
TRLCSP	Decreto Legislativo 3/2011, de 14 de noviembre, por el que se aprueba el Texto Refundido de la Ley de Contratos del Sector Público
TRLSRU	Real Decreto Legislativo 7/2015, de 30 de octubre, por el que se aprueba el Texto Refundido de la Ley de Suelo y Rehabilitación Urbana
TS	Tribunal Supremo

Prólogo

Uno.- Los doctores Josep Ramon Fuentes i Gasó y Judith Gifreu i Font me piden que, a modo de prólogo, ponga cuatro letras a la quinta edición de su *Esquemas de procedimiento administrativo* [tomo IX, Tirant lo Blanch, Valencia, 2022], empeño editorial en el que figuran simultáneamente como autores y directores, y en el que, asimismo, en condición de autores, constan Lucía Casado Casado, Anna Pallarés Serrano, Aitana de la Varga Pastor, Inés Gil Casión y Laura Presicce: deferencia que atiendo con gusto. La presente es, como se dice, la quinta aparición de una iniciativa que principió en 2007 [la segunda, la tercera y la cuarta son, respectivamente, de 2012, 2017 y 2020], suma y compendio de la excelente acogida que la misma ha tenido, fundamentalmente, en el ámbito docente, pues, como se dice en el prólogo suscrito en 2007, con ocasión de la primera edición, por los doctores Gifreu i Font y Fuentes i Gasó, son los discentes los destinatarios primarios de la publicación; una publicación que tiene una dedicatoria emotiva, la del doctor Manuel Ballbé Mallol, maestro universitarios de quienes, como leales discípulos, acometen su llevanza; una llevanza *proteica*, pues, nacida bajo la égida de la Ley 30/1992, de 26 de noviembre, de régimen jurídico de las administraciones públicas y del procedimiento administrativo común, desde la tercera edición, de 2017, ha debido adaptarse a las novedades introducidas en la materia de los *procedimientos administrativos* por las Leyes 39/2015, de 1 de octubre, de procedimiento administrativo común de las administraciones públicas y 40/2015, de 1 de octubre, sobre régimen jurídico del sector público; leyes estas últimas que, en particular la primera, modificación de 2020 incluida, se hallan a día de hoy en la plenitud de su vigencia, de acuerdo a las previsiones al respecto de sus sendas disposiciones finales de entrada en vigor ["Nota a la 4ª edición": 27].

Dos.- El *procedimiento administrativo* [desde 1992 apostillado, en consonancia al artículo 149.1.18ª del texto constitucional, como *común*] es, como bien se dice en la presentación puesta, en 2007, a la primera edición [21] institución basilar del derecho administrativo. Como dejara dicho la Ley de Procedimiento Administrativo de 17 de julio de 1958, el *procedimiento administrativo* cumple tres *funciones*, a saber: principio de orden en el proceder administrativo; defensa de los derechos e intereses de los administrados; garantía de acierto de la decisión adoptada. Funciones o fines que los autores de la obra verbalizan del modo que sigue: "La importancia del procedimiento administrativo se aprecia bien si se consideran sus funciones que, fundamentalmente, se pueden resumir en: función constitutiva y legitimadora, función garantista y función racionalizadora" [4ª edición: 31]. Santo y seña, el *procedimiento administrativo*, del actuar administrativo formalizado, por diferencia de la llamada actividad *técnica* o *material* de las administraciones públicas [vinculada a la prestación de los distintos *servicios públicos*, sin dar en este momento a tan añejo sintagma una particular acepción o contenido; la del *servicio público*, ésta sí, noción verdaderamente *poliédrica* y *proteica*], sujetas al canon de la *lex artis* [… a los pertinentes *protocolos*, como gusta de decirse ahora].

Tres.- Con la entrada en vigor de la Ley procedimental de 1992 se puso de moda la denuncia de la "ruptura" del *procedimiento administrativo* alumbrado por la veneranda ley de 1958 [el propio Jesús González Pérez, uno de los "autores" intelectuales de aquélla acuñara el término *balcanización* para referirse a aquélla]. En realidad [sin perjuicio de los tres "procedimientos especiales" albergados en la ley de 1958, uno de ellos, el atinente a la elaboración de las disposiciones administrativas de carácter general, es decir, los reglamentos, de incorrecta inclusión en una ley rectora del proceder formalizado de las administraciones públicas, esto es, el *procedimiento administrativo*, pues sabido es que la reglamentaria es potestad del Gobierno stricto sensu, no de las administraciones públicas], tanto la ley de 1958 como la ley de 1992 [y repárese, a tal efecto, en el rótulo del título VI de ambas leyes: "Disposiciones generales sobre el —o los— procedimientos administrativos"] eran, como acertadamente dijera, a propósito de la de 1992, Francisco López Menudo, "leyes *para* los procedimientos administrativos", esto es, prescribían el armazón, la estructura, la arquitectura de *todo* procedimiento administrativo, articulada sobre las diferentes fases de todo procedimiento administrativo: iniciación-incoación/tramitación-instrucción/terminación… pues la "ordenación" no es, en puridad, fase del procedimiento administrativo, sino que lo que se aloja bajo tal denominación es un hatillo de principios, pautas o criterios a que debe sujetarse la tramitación o instrucción de todo procedimiento administrativo.

Ese equívocamente signado como "procedimiento *general*" [por contraposición a los —tres— "procedimientos *especiales*" de la ley de 1958] no era otra cosa sino un conjunto de piezas, un agregado de herramientas, un utillaje ["Conjunto de útiles necesarias para una industria o actividad", de acuerdo a la acepción del DRAE] al que acudir por el autor de la regulación de *cada* tipo de procedimiento administrativo, y, en último término, por el instructor del concreto procedimiento administrativo, para "ordenar" el tipo o clase de procedimiento administrativo de que en cada caso se trate, a saber, a fin de *fijar* la concreta secuencia de trámites en que estriba la instrucción de los específicos y singulares procedimientos administrativos. Esta y no otra es la función que cumplían los títulos VI de las leyes de 1958 y 1992 y que, ahora, le toca desempeñar al título IV de la Ley 39/2015. En este sentido, por tanto, las "especialidades" [en relación a las distintas fases de los procedimientos administrativos: iniciación/instrucción/terminación] que prevé la última de las meritadas se configuran, sí, como procedimientos administrativos *especiales*, al lado del procedimiento administrativo *común* diseñado en su título IV.

En otros términos, y este es, quizá, el origen del aludido "equívoco", los títulos VI de las leyes de 1958 y 1992 y el título IV de la 39/2015 no dibujan un procedimiento administrativo *general*, pues, obvio es decirlo, no sólo no hay un único procedimiento administrativo, ni siquiera un procedimiento administrativo *típico* o *estereotipado*, sino, como viene diciéndose, sino que su funcionalidad estriba en el dibujo o diseño de ese armazón, de esa estructura o arquitectura propia de *todo* procedimiento administrativo, articulada, vuelve a decirse una vez más, sobre la pared maestra de las diferentes fases procedimentales.

Cuatro.- La obra dirigida por los doctores Fuentes i Gasó y Gifreu i Font es un valioso *procedimiento* para la pedagogía de los procedimientos administrativos. Sólo me resta felicitar a los directores y autores por la reseñada quinta edición, con el vaticinio [y, desde luego, no pretendo oficiar de arúspice o augur… desempeños para los que no cuento con el debido título, expedido o no por el emperador] de unas más que probables sexta u sucesivas ediciones.

JUAN MANUEL ALEGRE ÁVILA
Catedrático de Derecho de la Universidad de Cantabria
Exletrado del Tribunal Constitucional
En la bahía santanderina, en el día siguiente al del sorteo de Navidad de 2021

Presentación

La enseñanza del Derecho a los futuros juristas y a otros operadores jurídicos del siglo XXI requiere, cómo en anteriores momentos de su milenaria andadura, la adecuación de sus métodos e instrumentos a las capacidades de los discentes. Quizás en la presente era digital más que nunca, en la que la especialización se ha convertido en el paradigma, otro valor irrumpe con fuerza en nuestro modelo pedagógico: la simplificación.

Nuestra disciplina, el Derecho Administrativo, ya realizó un numantino esfuerzo de simplificación en diversos ámbitos, especialmente en su esqueleto básico, el procedimiento administrativo. Así, en los años cincuenta, merced a insignes juristas como Eduardo García de Enterría, Manuel Ballbé Prunés, Jesús González Pérez, entre muchos otros, vieron la luz un conjunto de leyes señeras, como la de Régimen Jurídico de la Administración del Estado (LRJAE), de Contratos de Estado (LCE), de Expropiación Forzosa (LEF), la reguladora de la Jurisdicción Contencioso Administrativa (LJ), del Suelo (LS) y, como no, la Ley de Procedimiento Administrativo (LPA), de 17 de julio de 1958, modificada por la de 2 de diciembre de 1963.

La vigencia durante más de tres décadas de estas normas, salvada la LEF de 1954, aún operativa en 2007, son el mejor marchamo de garantía de su calidad y de quienes las redactaron. A pesar de ello, en la materia que nos ocupa, y no con tan acertado resultado, las necesidades de *aggiornamento* comportaron la promulgación de la actual Ley 30/1992, de 26 de noviembre de Régimen Jurídico de las Administraciones Públicas y del Procedimiento Administrativo Común (LRJPAC), modificada en diversas ocasiones pero, en particular, por la Ley 4/1999, de 13 de enero.

La rápida evolución de nuestra sociedad ha influido notablemente en la pervivencia normativa y en la necesidad imperiosa de dar una respuesta jurídica cada vez más rápida a la realidad cambiante. Y en esta situación, la clarificación de las disciplinas jurídicas y sus procedimientos y, por ende, los administrativos, adquieren un papel central y determinante para la configuración de un determinado sistema jurídico y son, sin duda, por ello, el *leif motiv* y, a la vez, la *ratio essendi* de toda disciplina jurídica.

En consecuencia, la obra que se presenta no persigue más que esa finalidad: un esfuerzo por la simplificación de una materia, el Derecho Administrativo, cuyo acervo ingente y complejidad suponen a menudo un elemento obstativo que ahuyenta a los que a ella se acercan, a pesar de que conforma los fundamentos de nuestro Ordenamiento Jurídico. Éste es el resultado de una operación de sintetización, similar a las realizadas por la ciencia química. Y, como todo experimento, debe someterse al método empírico, pudiendo sólo contrastarse su acuerdo con la medida práctica de su aceptación y uso para el mejor estudio y comprensión de la disciplina por sus usuarios, destinatarios, sin duda de nuestro trabajo.

Para concluir, nos permitimos enunciar, una vez más, el objetivo que debe perseguir todo jurista en su actividad, y del cual este trabajo no es más que un pequeño grano de arena. Así, en boca de los profesores Eduardo García de Enterría y Tomás Ramón Fernández, en el prólogo a la quinta edición de su *Curso de Derecho Administrativo:* "De Stammler es la idea de que así como el marino no alcanzará nunca la estrella polar, si bien ésta le permitirá siempre gobernar con seguridad sus rumbos, el Derecho no alcanzará nunca tampoco la Justicia, pero sólo la constante, la azarosa, la obsesiva persecución de sus valores le permitirá no perderse en los bajíos del arbitrismo y de la arbitrariedad. Esto nos parece especialmente cierto en el ámbito del Derecho Administrativo".

JUDITH GIFREU FONT
JOSEP RAMON FUENTES i GASÓ
Figueres - Bellmunt del Priorat, julio de 2007

Nota a la 2ª edición

La aceptación y utilidad que ha tenido *Esquemas de procedimiento administrativo. Procedimientos* justifica, sin lugar a dudas, esta 2ª edición revisada. En momentos convulsos como los que estamos viviendo, también para el derecho, la existencia de un procedimiento común con especialidades sectoriales se convierte cada vez más en la garantía sobre la que reside el principio de legalidad, como parámetro de actuación de los poderes públicos. Asimismo, se hace necesario introducir los cambios legislativos que la transposición de la Directiva 2006/123/CE del Parlamento Europeo y del Consejo de 12 de diciembre del 2006 relativa a los servicios en el mercado interior ha conllevado en el derecho interno español, no sólo en aspectos esenciales de la tramitación procedimental administrativa, como el silencio administrativo, sino en la propia configuración tradicional de la Administración como un ente fiscalizador *ex ante* de las actividades que desarrollan los ciudadanos.

Así pues, deseamos que de nuevo esta obra sea de utilidad para todo aquel que desde cualquier óptica se convierta en operador jurídico iusadministrativista.

JUDITH GIFREU FONT
JOSEP RAMON FUENTES i GASÓ
Tarragona, julio de 2012

Nota a la 3ª edición

Desde la publicación, con gran éxito, de la segunda edición de estos Esquemas, en 2012, el derecho administrativo español ha visto cómo sus fundamentos jurídicos han sufrido una importante revisión, mediante la sustitución de la Ley 30/1992, de 26 de noviembre, de régimen jurídico de las Administraciones Públicas y del procedimiento administrativo común por dos nuevos textos legales, las leyes 39/2015, de 1 de octubre, del procedimiento administrativo común de las Administraciones Públicas y 40/2015, de 1 de octubre, de régimen jurídico del sector público.

En lo que concierne a esta obra, interesa especialmente la Ley 39/2015, en la medida que regula las relaciones ad extra de la Administración Pública, aunque la Ley 40/2015 también contiene preceptos con incidencia en aquellas. Ciertamente, las innovaciones introducidas por la Ley 39/2015 en el procedimiento administrativo no son muy numerosas, aunque destaca Especialmente la articulación de un procedimiento electrónico que, a tenor del legislador, debe convertirse en la regla general de actuación administrativa, más allá de las previsiones contenidas en la Ley 11/2007, de 22 de junio, de acceso electrónico de los ciudadanos a los servicios públicos.

Esperamos que esta nueva edición continúe siendo de utilidad para la enseñanza del derecho administrativo así como para el conjunto de los operadores jurídicos que se relacionan con las Administraciones Públicas.

JUDITH GIFREU FONT
JOSEP RAMON FUENTES i GASÓ
Valldemossa, 2 de noviembre de 2017

Nota a la 4ª edición

Desde la 1ª edición en 2007, dedicamos esta obra, *Esquemas de procedimiento administrativo. Procedimientos*, a nuestro maestro el Dr. Manuel Ballbé Mallol, Catedrático de Derecho Administrativo de la Universitat Autònoma de Barcelona, que desgraciadamente nos dejó el pasado mes de febrero de este mismo año. Con este reconocimiento no podremos agradecer suficientemente la generosidad personal y académica que mostró en todo momento para con nosotros, sus discípulos.

El 2 de octubre 2020 se cumplirán cuatro años de la entrada en vigor en su casi totalidad (téngase en cuenta la muy reciente Disposición Final sexta del Real Decreto-ley 27/2020, de 4 de agosto, de medidas financieras, de carácter extraordinario y urgente, aplicables a las entidades locales) de la Ley 39/2015, de 1 de octubre, del procedimiento administrativo común de las Administraciones Públicas y de la Ley 40/2015, de 1 de octubre, de régimen jurídico del sector público que, no sin muchas lentitudes y deficiencias, han positivizado la implantación de la Administración electrónica en el conjunto de las administraciones públicas del Estado español.

Esta 4ª edición supone, sin duda, la consolidación de un instrumento de gran utilidad práctica, tanto para los que se aproximan como discentes a la disciplina jurídico administrativa, como para aquellos que la profesan profesionalmente, ya sea como docentes o como operadores jurídicos.

Moltes mercès, Manuel, fins al cel!

JUDITH GIFREU FONT
JOSEP RAMON FUENTES i GASÓ
Tarragona-La Garriga, 7 de agosto de 2020

Nota a la 5ª edición

Desde la 1ª edición en 2007, dedicamos esta obra, *Esquemas de procedimiento administrativo*, a nuestro maestro el Dr. Manuel Ballbé Mallol, Catedrático de Derecho Administrativo de la Universitat Autònoma de Barcelona, que con su desaparición ha dejado un gran vacío en la Academia Ius Administrativista, que no podrá ser ocupado.

Esta nueva edición incorpora las novedades que el Real Decreto 203/2021, de 30 de marzo, por el que se aprueba el Reglamento de actuación y funcionamiento del sector público por medios electrónicos aporta al desarrollar las previsiones de la Ley 39/2015, de 1 de octubre, del procedimiento administrativo común de las Administraciones Públicas y de la Ley 40/2015, de 1 de octubre, de régimen jurídico del sector público.

Asimismo, esta 5ª edición se viste de gala al contar con el magnífico e inmerecido prólogo del Dr. Juan Manuel Alegre Ávila, Catedrático de Derecho Administrativo de la Universidad de Cantabria, eminente administrativista y mejor amigo, de pluma aguda y profunda, a quién agradecemos que nos haya honrado con sus excelentes y precias reflexiones y deseamos lo mejor, de todo corazón.

Una vez más, con esta actualización, esperamos que esta obra constituya un consolidado instrumento para el conocimiento práctico del procedimiento administrativo, tanto para los que se aproximan a él como discentes, como para aquellos que lo hagan como docentes u otros operadores y profesionales del Derecho Administrativo.

JUDITH GIFREU FONT
JOSEP RAMON FUENTES i GASÓ
Figueres (Girona) – Bellmunt del Priorat (Tarragona), 29 de junio de 2022
Solemnidad de San Pedro y San Pablo, Apóstoles

A) Procedimiento Administrativo General

Capítulo 1

La iniciación del procedimiento administrativo*

1. PROCEDIMIENTO ADMINISTRATIVO GENERAL

1.1. Introducción

El procedimiento administrativo puede entenderse como la serie de actos en que se concreta la actuación administrativa para la realización de un objetivo o fin concreto.

La importancia del procedimiento administrativo se aprecia bien si se consideran sus funciones que, fundamentalmente, se pueden resumir en: función constitutiva y legitimadora, función garantista y función racionalizadora.

La función constitutiva y legitimadora es la más elemental ya que, como observa Esteve Pardo, "si no hay procedimiento, no hay Administración, ni aplicación del Derecho Administrativo". Es decir, la Administración Pública se constituye en sujeto y puede actuar en la medida en que cumpla con los procedimientos establecidos.

Además, la estricta observancia del procedimiento administrativo otorga legitimidad a las resoluciones dictadas por la Administración, sin olvidar que al cumplimiento de los cauces formales del procedimiento tiene que sumarse la necesidad de que el contendido del acto se ajuste siempre a la legalidad vigente.

---

*   Dra. Aitana De la Varga Pastor, *Profesora Agregada de Derecho Administrativo, Universitat Rovira i Virgili.*

En segundo lugar, el procedimiento administrativo desempeña una función de garantía para el administrado, sobre todo cuando se trate de un procedimiento sancionador o cuando la resolución administrativa puede contener un gravamen o una carga.

Por último, la función racionalizadora del procedimiento administrativo corresponde a la exigencia de la Administración Pública de conocer con racionalidad la realidad de los hechos, para poder tomar decisiones que se ajusten, en lo posible, a la verdad objetiva. Esta función se concreta, sobre todo, en la fase de instrucción del procedimiento.

El modelo básico de procedimiento administrativo, delineado por la LPACAP, se compone de varias fases netamente diferenciadas entre ellas: iniciación, instrucción y terminación.

En cuanto a la fase de iniciación, el procedimiento puede iniciarse de oficio o a instancia de parte.

En concreto el art. 58 y siguientes establecen que el procedimiento se iniciará de oficio, por acuerdo del órgano competente:

- Por su propia iniciativa. Se entiende por propia iniciativa «La actuación derivada del conocimiento directo o indirecto de las circunstancias, conductas o hechos objeto del procedimiento por el órgano que tiene atribuida la competencia de iniciación» (art. 59)
- Como consecuencia de orden superior. Se entiende por orden superior «La emitida por un órgano administrativo superior jerárquico del competente para la iniciación del procedimiento» (art. 60.1)
- Por petición razonada de otro órgano. Se entiende por petición razonada «la propuesta de iniciación del procedimiento formulada por cualquier órgano administrativo que no tiene competencia para iniciar el mismo y que ha tenido conocimiento de las circunstancias, conductas o hechos objeto del procedimiento, bien ocasionalmente o bien por tener atribuidas funciones de inspección, averiguación o investigación» (art. 61.1)
- Por denuncia. Se entiende por denuncia «el acto por el que cualquier persona, en cumplimiento o no de una obligación legal, pone en conocimiento de un órgano administrativo la existencia de un determinado hecho que pudiera justificar la iniciación de oficio de un procedimiento administrativo» (art. 62.1)

En la iniciación de oficio, con anterioridad al inicio del procedimiento, el órgano competente podrá abrir un período de información o actuaciones previas con el fin de valorar las circunstancias del caso concreto y la conveniencia o no de iniciar el procedimiento (art. 55).

Además de la iniciación de oficio, el art. 54 prevé la posibilidad que el procedimiento administrativo sea impulsado a instancia de parte. Es decir el procedimiento inicial cuando lo promueva una persona interesada a través de la solicitud de iniciación, que pone en marcha el procedimiento.

En el art. 66 se fijan los requisitos formales de la solicitud: el contenido necesario, la posibilidad de acumulación de solicitudes y la forma de presentación.

En referencia a la forma de acreditación de la presentación de la solicitud, se establece que los interesados podrán presentar la solicitud en los registros electrónicos o en las oficinas de registro de la Administración Pública y podrán exigir el correspondiente recibo que acredite la fecha y la hora de presentación. Además la Administración tiene el deber de establecer modelos y sistemas normalizados de solicitudes masivas, que serán de uso voluntario por los interesados.

Aun así, se debe tener en cuenta que la falta de algún requisito necesario establecido en el art. 66, o en su caso en el art. 67, no supone la invalidez de la solicitud ya que la Administración tiene la obligación de requerir al interesado para que subsane el defecto (art. 68).

La Administración Pública deberá notificar al interesado las faltas y las omisiones que se advierten en la solicitud y el interesado tendrá un plazo de diez días para aportar los datos o los documentos requeridos.

Este plazo podrá ser ampliado hasta cinco días más, siempre que no se trate de procedimientos selectivos o en concurrencia competitiva. En el caso de que el interesado no proceda a cumplir con el requerimiento, se tendrá por desistido, dictando la correspondiente resolución.

1.2. Iniciación del procedimiento

Esquema 1. Iniciación del procedimiento (arts. 58 a 69 LPACAP)

CLASES	A INSTANCIA DE PARTE	DE OFICIO
MODO	• Mediante solicitud de iniciación (art. 66)	• Mediante acuerdo del órgano competente. • Posibilidad de abrir periodo de información previa con el fin de conocer las circunstancias del caso concreto y la conveniencia o no de iniciar el procedimiento (art. 55)

CONTENIDO	• Nombre y apellidos del interesado y, en su caso, de la persona que lo represente. • Identificación del medio electrónico o, en su defecto, lugar físico en que desea que se practique la notificación. • Adicionalmente los interesados podrán aportar su dirección de correo electrónico con el fin de que las Administraciones Públicas les avisen del envío o puesta a disposición de la notificación. • Hechos, razones y petición en que se concrete, con toda claridad, la solicitud. • Lugar y fecha. • Firma del solicitante o acreditación de la autenticidad de su voluntad expresada por cualquier medio. • Órgano, centro o unidad administrativa a la que se dirige y su correspondiente código de identificación.	
SUJETO	• **Persona interesada.** • Cuando las pretensiones correspondan a una **pluralidad de personas** y tengan un contenido y fundamento idéntico o sustancialmente similar, podrán ser formuladas en una única solicitud, salvo que las normas reguladoras de los procedimientos dispongan otra cosa.	• **Órgano competente:** ✓ Por propia iniciativa (art. 59). ✓ Consecuencia de orden superior (art. 60). ✓ Por petición razonada de otros órganos (art. 61). ✓ Por denuncia (art. 62).
PRESENTACIÓN	• Electrónicamente o en las oficinas de asistencia en materia de registros de la Administración. • Los interesados podrán exigir, de las solicitudes, comunicaciones y escritos que presenten, el correspondiente **recibo** que acredite la fecha y hora de presentación. • Las Administraciones deberán establecer **modelos** y sistemas de presentación masiva que permita a los interesados presentar simultáneamente varias solicitudes.	

PRESENTACIÓN (cont.)	✓ Estos modelos de uso voluntario estarán a disposición de los interesados en las correspondientes sedes electrónicas y en las oficinas en materia de Registro de las Administraciones Públicas. ✓ Los solicitantes podrán acompañar los elementos que estimen convenientes para precisar o completar los datos del modelo, los cuales deberán ser admitidos y tenidos en cuenta por el órgano al que se dirijan. ✓ Los sistemas normalizados de solicitud podrán incluir comprobaciones automáticas de la información aportada respecto datos almacenados en sistemas propios o pertenecientes a otras Administraciones u ofrecer el formulario cumplimentado, en todo o en parte, con objeto de que el interesado verifique la información y, en su caso, la modifique y complete. ✓ Cuando la Administración en un **procedimiento concreto** establezca expresamente modelos específicos de presentación de solicitudes, éstos serán de uso obligatorio.	

1.3. Subsanación y mejora de la solicitud de iniciación

ESQUEMA 2. Subsanación y mejora de la solicitud de iniciación (art. 68 LPACAP)

SUPUESTOS	• Si la solicitud de iniciación no reúne los requisitos que señala el art. 66 y, en su caso, los que señala el art. 67 u otros exigidos por la legislación específica aplicable. • En los procedimientos iniciados a solicitud de los interesados el órgano competente podrá recabar del solicitante la modificación o mejora voluntaria de los términos de la solicitud.

ACTUACIÓN	• Se requerirá al interesado para que subsane la falta o acompañe los documentos preceptivos con indicación de que, si así no lo hiciera, se le tendrá por desistido de su petición, previa resolución que deberá ser dictada en los términos previstos en el art. 21. ✓ En los procedimientos iniciados a solicitud de los interesados, el órgano competente podrá recabar del solicitante la modificación o mejora voluntarias de los términos de aquella. De ello se levantará acta sucinta, que se incorporará al procedimiento. ✓ Si alguno de los sujetos a que hace referencia el art.14.2 y 14.3 presenta su solicitud presencialmente, las Administraciones Públicas requerirán al interesado para que la subsane a través de su presentación electrónica. A estos efectos, se considerará como fecha de presentación de la solicitud aquella en la que haya sido realizada la subsanación.
PLAZO	• El interesado tendrá diez días para subsanar. • Este plazo podrá ser ampliado prudencialmente, hasta cinco días, a petición del interesado o a iniciativa del órgano, *ergo*, de oficio. ✓ Cuando la aportación de los documentos requeridos presente dificultades especiales. ✓ Siempre que no se trate de procedimientos selectivos o de concurrencia competitiva.
EFECTOS	• En el caso de que se subsane el procedimiento continúa. • En el caso de que no se subsane se le tendrá por desistido de su petición, previa resolución que deberá ser dictada en los términos previstos en el art. 21.

1.4. *La Declaración Responsable y la Comunicación*

ESQUEMA 3. Declaración responsable y comunicación (art. 69 LPACAP)

	DECLARACIÓN RESPONSABLE	COMUNICACIÓN
DEFINICIÓN	A los efectos de esta Ley, se entenderá por declaración responsable el documento suscrito por un interesado en el que manifiesta, bajo su responsabilidad, que cumple con los requisitos establecidos en la normativa vigente para obtener el reconocimiento de un derecho o facultad o para su ejercicio, que dispone de la documentación que así lo acredita, que la pondrá a disposición de la Administración cuando sea requerida, que se compromete a mantener el cumplimiento de las anteriores obligaciones durante el período de tiempo inherente a dicho reconocimiento o ejercicio. Los requisitos a los que se refiere el párrafo anterior deberán estar recogidos de manera expresa, clara y precisa en la correspondiente declaración responsable. Las Administraciones podrán requerir en cualquier momento que se aporte la documentación que acredite el cumplimiento de los mencionados requisitos y el interesado deberá aportarla.	A los efectos de esta Ley, se entenderá por comunicación aquel documento mediante el que los interesados ponen en conocimiento de la Administración Pública competente sus datos identificativos o cualquier otro dato relevante para el inicio de una actividad o el ejercicio de un derecho.
EFECTOS POSITIVOS	Las declaraciones responsables y las comunicaciones permitirán el reconocimiento o ejercicio de un derecho o bien el inicio de una actividad, desde el día de su presentación, sin perjuicio de las facultades de comprobación, control e inspección que tengan atribuidas las Administraciones Públicas.	Además de lo establecido para la declaración responsable el artículo añade que: No obstante lo dispuesto en el párrafo anterior, la comunicación podrá presentarse dentro de un plazo posterior al inicio de la actividad cuando la legislación correspondiente lo prevea expresamente.

EFECTOS NEGATIVOS	• La inexactitud, falsedad u omisión, de carácter esencial de cualquier dato o información que se incorpore a una declaración responsable o a una comunicación, o
	
	• La no presentación ante la Administración competente de la declaración responsable, la documentación que sea en su caso requerida para acreditar el cumplimiento de lo declarado o la comunicación,
	
	  ✓ determinará la imposibilidad de continuar con el ejercicio del derecho o actividad afectada
	
	    ❑ desde el momento en que se tenga constancia de tales hechos, sin perjuicio de las responsabilidades penales, civiles o administrativas a que hubiera lugar.
	
	  ✓ Asimismo, la resolución de la Administración Pública que declare tales circunstancias podrá determinar
	
	    ❑ la obligación del interesado de restituir la situación jurídica al momento previo al reconocimiento o al ejercicio del derecho o al inicio de la actividad correspondiente,
	
	    ❑ así como la imposibilidad de instar un nuevo procedimiento con el mismo objeto durante un período de tiempo determinado por la ley, todo ello conforme a los términos establecidos en las normas sectoriales de aplicación.

MODELOS	• Las Administraciones Públicas tendrán permanentemente publicados y actualizados modelos de declaración responsable y de comunicación, fácilmente accesibles a los interesados. ATENCIÓN: Únicamente será exigible, bien una declaración responsable, bien una comunicación para iniciar una misma actividad u obtener el reconocimiento de un mismo derecho o facultad para su ejercicio, sin que sea posible la exigencia de ambas acumulativamente.

1.5. *Medidas provisionales*

Esquema 4. Medidas provisionales (art. 56 LPACAP)

SUPUESTOS. MOMENTO DE ADOPCIÓN	UNA VEZ INICIADO EL PROCEDIMIENTO	ANTES DE LA INICIACIÓN DEL PROCEDIMIENTO ADMINISTRATIVO
SUJETO SOLICITANTE	De forma motivada: • De oficio. • A instancia de parte.	• De oficio. • A instancia de parte.
ÓRGANO COMPETENTE	• El órgano administrativo competente para resolver el procedimiento.	• El órgano competente para iniciar o instruir el procedimiento.
MEDIDAS	• Si existiesen elementos de juicio suficiente para ello. • De acuerdo con los principios de proporcionalidad, efectividad y menor onerosidad. • Las que estime oportunas.	• En los casos de urgencia inaplazable y para la protección provisional de los intereses implicados. • Podrá adoptar de forma motivada las medidas provisionales que resulten necesarias y proporcionadas. • Estas deberán ser confirmadas, modificadas o levantadas en el acuerdo de iniciación del procedimiento, que deberá efectuarse dentro de los quince días siguientes a su adopción, el cual podrá ser objeto del recurso que proceda. • En todo caso, dichas medidas quedarán sin efecto si no se inicia el procedimiento en dicho plazo o cuando el acuerdo de iniciación no contenga un pronunciamiento expreso acerca de las mismas.

MEDIDAS (cont.)	• Podrán acordarse las siguientes medidas provisionales, en los términos previstos en la Ley 1/2000, de 7 de enero, de Enjuiciamiento Civil: a) Suspensión temporal de actividades. b) Prestación de fianzas. c) Retirada o intervención de bienes productivos o suspensión temporal de servicios por razones de sanidad, higiene o seguridad, el cierre temporal del establecimiento por estas u otras causas. d) Embargo preventivo de bienes, rentas y cosas fungibles computables en metálico por aplicación de precios ciertos. e) El depósito, retención o inmovilización de cosa mueble. f) La intervención y depósito de ingresos obtenidos mediante una actividad que se considere ilícita y cuya prohibición o cesación se pretenda. g) Consignación o constitución de depósito de las cantidades que se reclamen. h) La retención de ingresos a cuenta que deban abonar las Administraciones Públicas. i) Aquellas otras medidas que, para la protección de los derechos de los interesados, prevean expresamente las leyes, o que se estimen necesarias para asegurar la efectividad de la resolución.

FINALIDAD	• Asegurar la eficacia de la resolución que pudiera recaer.	• La protección provisional de los intereses implicados.

LÍMITES	• No se podrán adoptar medidas provisionales que puedan causar perjuicio de difícil o imposible reparación a los interesados o que impliquen violación de derechos amparados por las leyes.
MODIFICACIÓN O ALZAMIENTO DE MEDIDAS	• Las medidas provisionales podrán ser alzadas o modificadas durante la tramitación del procedimiento, de oficio o a instancia de parte, en virtud de circunstancias sobrevenidas o que no pudieron ser tenidas en cuenta en el momento de su adopción.
EXTINCIÓN	• En todo caso, se extinguirán con la eficacia de la resolución administrativa que ponga fin al procedimiento correspondiente.

1.6. Acumulación de procedimientos

Esquema 5. **Acumulación de procedimientos (art. 57 LPACAP)**

- El órgano administrativo que inicie o tramite un procedimiento, cualquiera que haya sido la forma de su iniciación, podrá disponer, de oficio o a instancia de parte, su acumulación a otros con los que guarde identidad sustancial o íntima conexión, siempre que sea el mismo órgano quien deba tramitar y resolver el procedimiento.

- Contra el acuerdo de acumulación no procederá recurso alguno.

2. EL PROCEDIMIENTO ADMINISTRATIVO POR MEDIOS ELECTRÓNICOS. INICIACIÓN

2.1. Introducción

El Real Decreto 203/2021, de 30 de marzo, por el que se aprueba el Reglamento de actuación y funcionamiento del sector público por medios electrónicos desarrolla y concreta el derecho de las personas a relacionarse por medios electrónicos con las administraciones públicas, previsto por la LPACAP y la LRJSP, simplificando el acceso a los procedimientos administrativos. Persigue, en primer lugar, mejorar la eficiencia administrativa para hacer efectiva una Administración totalmente electrónica e interconectada y garantizar, por una parte, que los procedimientos administrativos se tramiten electrónicamente por la Administración y, por otra, que la ciudadanía se relacione con ella por estos medios en los supuestos en que sea establecido con carácter obligatorio o aquellos lo decidan voluntariamente. En segundo lugar, pretende incrementar la transparencia de la actuación administrativa y la participación de las personas en la Administración Electrónica. Así, se desarrolla el funcionamiento del Punto de Acceso General electrónico (PAGe), y la Carpeta ciudadana en el Sector Público Estatal. Se regula el contenido y los servicios mínimos a prestar por las sedes electrónicas y sedes electrónicas asociadas y el funcionamiento de los registros electrónicos. En tercer lugar, persigue garantizar servicios digitales fácilmente utilizables de modo que se pueda conseguir que la relación del interesado con la Administración sea fácil, intuitiva y efectiva cuando use el canal electrónico. Por último, busca mejorar la seguridad jurídica.

2.2. *Los principios en las actuaciones y relaciones electrónicas*

ESQUEMA 6. Principios en las actuaciones y relaciones electrónicas

PRINCIPIOS	CONTENIDO
DE NEUTRALIDAD TECNOLÓGICA Y DE ADAPTABILIDAD AL PROGRESO DE LAS TECNOLOGÍAS Y SISTEMAS DE COMUNICACIONES ELECTRÓNICAS	Para garantizar tanto la independencia en la elección de las alternativas tecnológicas necesarias para relacionarse con las Administraciones Públicas por parte de las personas interesadas y por el propio sector público, como la libertad para desarrollar e implantar los avances tecnológicos en un ámbito de libre mercado. A estos efectos, el sector público utilizará estándares abiertos, así como, en su caso y de forma complementaria, estándares que sean de uso generalizado. Las herramientas y dispositivos que deban utilizarse para la comunicación por medios electrónicos, así como sus características técnicas, serán no discriminatorios, estarán disponibles de forma general y serán compatibles con los productos informáticos de uso general.
DE ACCESIBILIDAD	Conjunto de principios y técnicas que se deben respetar al diseñar, construir, mantener y actualizar los servicios electrónicos para garantizar la igualdad y la no discriminación en el acceso de las personas usuarias, en particular de las personas con discapacidad y de las personas mayores.
DE FACILIDAD DE USO	Determina que el diseño de los servicios electrónicos esté centrado en las personas usuarias, de forma que se minimice el grado de conocimiento necesario para el uso del servicio.
DE INTEROPERABILIDAD	Consiste en la capacidad de los sistemas de información y, por ende, de los procedimientos a los que éstos dan soporte, de compartir datos y posibilitar el intercambio de información entre ellos.
DE PROPORCIONALIDAD	En cuya virtud sólo se exigirán las garantías y medidas de seguridad adecuadas a la naturaleza y circunstancias de los distintos trámites y actuaciones electrónicos.
DE PERSONALIZACIÓN Y PROACTIVIDAD	Consisten en la capacidad de las Administraciones Públicas para que, partiendo del conocimiento adquirido del usuario final del servicio, proporcione servicios precumplimentados y se anticipe a las posibles necesidades de los mismos.

2.3. *Derecho y obligación de relacionarse electrónicamente con las AAPP*

ESQUEMA 7. Derecho y obligación de relacionarse electrónicamente con las AAPP

SUJETOS OBLIGADOS	Los que se refiere el art. 14.2 LPACAP: a) Las **personas jurídicas**. b) Las **entidades sin personalidad jurídica**. c) Quienes ejerzan una **actividad profesional** para la que se requiera colegiación obligatoria, para los trámites y actuaciones que realicen con las Administraciones Públicas en ejercicio de dicha actividad profesional. En todo caso, dentro de este colectivo se entenderán incluidos los **notarios y registradores de la propiedad y mercantiles**. d) Quienes **representen** a un interesado que esté obligado a relacionarse electrónicamente con la Administración. e) Los empleados de las Administraciones Públicas para los trámites y actuaciones que realicen con ellas por razón de su **condición de empleado público**, en la forma en que se determine reglamentariamente por cada Administración. e) Los que se fijen **reglamentariamente** para determinados procedimientos y para ciertos colectivos de personas físicas que por razón de su capacidad económica, técnica, dedicación profesional u otros motivos quede acreditado que tienen acceso y disponibilidad de los medios electrónicos necesarios.	En todo caso, estarán obligados a relacionarse a través de medios electrónicos con las Administraciones Públicas para la realización de cualquier trámite de un procedimiento administrativo

SUJETOS NO OBLIGADOS (POTESTATIVO)	Personas físicas	Podrán ejercitar su derecho a relacionarse electrónicamente con la Administración Pública de que se trate al **inicio** del procedimiento. Lo comunicarán al órgano competente para la tramitación del mismo de forma que este pueda tener constancia de dicha decisión.
VOLUNTAD DE RELACIONARSE O DEJAR DE HACERLO	Podrá realizarse en una fase posterior del procedimiento, si bien deberá comunicarse a dicho órgano de forma que quede constancia de la misma.	En ambos casos, los *efectos de la comunicación* se producirán a partir del quinto día hábil siguiente a aquel en que el órgano competente para tramitar el procedimiento haya tenido constancia de la misma.

2.4. La iniciación del procedimiento administrativo por medios electrónicos

ESQUEMA 8. Iniciación del procedimiento administrativo por medios electrónicos

ACTUACIÓN ADMINISTRATIVA AUTOMATIZADA	Cualquier acto o actuación realizada íntegramente a través de medios electrónicos por una Administración Pública en el marco de un procedimiento administrativo y en la que no haya intervenido de forma directa un empleado público. (art. 41 LRJSP)	• Potestativa • Ámbito estatal: Requiere autorización por resolución del titular del órgano administrativo competente por razón dela materia o del órgano ejecutivo competente del organismo o entidad de derecho público • Se publicará en la sede electrónica o sede electrónica asociada. • Ámbito local: DA8 RD 128/2018 regula el régimen jurídico de los funcionarios de Administración Local con habilitación de carácter nacional

SOLICITUD POR MEDIOS ELECTRÓNICOS	Requiere **identificación electrónica** de las personas interesadas (art. 26):
	• A través de cualquier sistema que cuente con un registro previo como usuario que permita garantizar su identidad expedidos por prestadores incluídos en la "lista de confianza de prestadores cualificados de servicios de confianza", de acuerdo con art. 9.2 LPACAP:
	  o Sistemas basados en certificados electrónicos cualificados de **firma electrónica.**
	  o Sistemas basados en certificados electrónicos cualificados de **sello electrónico.**
	  o Sistemas de **clave concertada.**
	  o Cualquier otro sistema que las AAPP consideren válido, siempre que cuenten con un registro previo como usuario que permita garantizar su identidad.
	Las AAPP dispondrán de **Registros electrónicos** para la recepción y remisión de solicitudes, escritos y comunicaciones que deberán ser plenamente interoperables de manera que se garantice su compatibilidad informática e interconexión en los términos previstos en el art. 16 LPACAP (art. 37).
	• Cada AP dispondrá de un **Registro Electrónico General (REG)**, en el que hará el asiento de todo documento presentado o que se reciba.
	• Los organismos públicos y entidades de derecho público vinculados o dependientes de cada AP podrán disponer de su propio registro electrónico plenamente interoperable e interconectado con el REG.
		• La AP deberá garantizar que la utilización de uno de los dos primeros sistemas de identificación sea posible para todo el procedimiento, aun cuando se admita para ese mismo alguno de los otros sistemas.

	• Admitirán:
	  o **documentos electrónicos normalizados** correspondientes a los servicios, procedimientos y trámites que se especifiquen conforme a lo dispuesto en la norma de creación del registro, cumplimentados de acuerdo con los formatos preestablecidos.
	  o Cualquier solicitud, escrito o comunicación distinta de los mencionados anteriormente dirigido a cualquier AP.
	  o No se tendrán por presentados en el registro aquellos documentos e información cuyo régimen especial establezca otra forma de presentación, de acuerdo con art. 16.8 LPACAP (Se comunicará dicha circunstancia al interesado y se el informará de los requisitos exigidos por la legislación específica aplicable).	

SUBSANACIÓN	Si existe **obligación** del interesado de relacionarse a través de medios electrónicos y no los hubiese utilizado: • **Requerimiento** al interesado o a su representante por parte del órgano administrativo competente en el ámbito de actuación de la subsanación. • Debe subsanar en el plazo de **10 días** desde el requerimiento • Si no lo hace se le tendrá **desistido** de su solicitud o se le declarará **decaído** en su derecho al trámite correspondiente • Requiere previa **resolución** de acuerdo con art. 21 LPACPAP.	• Es aplicable tanto a los sujetos obligados como a las personas físicas no obligadas que hayan ejercitado su derecho a relacionarse electrónicamente con la AP de que se trate. • En caso de solicitud de iniciación del interesado la fecha de subsanación se considerará a estos efectos como fecha de presentación de la solicitud de acuerdo con el art. 68.4 • En el caso de que el escrito o solicitud presentada adolezca de cualquier otro defecto subsanable, por falta de cumplimiento de los requisitos exigidos en los arts. 66, 67 y 68 LPACAP o por falta de otros requisitos exigidos por la legislación específica aplicable, se requerirá subsanación en el plazo de 10 días en los términos previstos en los arts. 68.1 y 73.1 LPACAP.

	Si la AP hubiera determinado los **formatos** y **estándares** a los que deberán ajustarse los documentos presentados por el interesado, de acuerdo con art. 39.1 y el interesado incumple dicho requisito: • **Requerimiento** • Plazo de **10 días** para subsanar, en los términos establecidos en el art. 68.1 LPACAP si se trata de solicitud de iniciación y 73.1 si se trata de otro acto. • Si no lo hace se le tendrá **desistido** de su solicitud o se le declarará **decaído** en su derecho al trámite correspondiente • Requiere previa **resolución** de acuerdo con art. 21 LPACPAP	El plazo de 10 días podrá ser **ampliado hasta 5 días** a petición del interesado o a iniciativa del órgano cuando la aportación de los documentos requeridos, en su caso, presente dificultades especiales, siempre que no se trate de procedimientos selectivos i de concurrencia competitiva.

2.5. El *Punto de Acceso General Electrónico*

Esquema 9. Punto de Acceso General Electrónico. PAGe

PUNTO DE ACCESO GENERAL ELECTRÓNICO PAGe (art. 7)	– Cada AP tendrá uno que **facilitará el acceso a los servicios, trámites e información** de los órganos, organismos públicos y entidades vinculados o dependientes de la AP correspondiente. – Dispondrá de una **sede electrónica**, a través de la cual se podrá acceder a todas las sedes electrónicas y sedes asociadas de la AP correspondiente. – Esta sede podrá incluir un **área personalizada**, a través de la cual cada interesado, mediante procedimientos seguros que garanticen la integridad y confidencialidad de sus datos personales, podrá acceder a su información, al seguimiento de los trámites administrativos que le afecten y a las notificaciones en el ámbito de la AP competente. – El PAGe y su sede electrónica serán gestionados por el Ministerio de Política Territorial y Función Pública en colaboración con la Secretaría General de Administración Digital del Ministerio de Asuntos Económicos.

	– En dicha sede está alojada la **Dirección Electrónica Habilitada** única a la que se refiere el art. 43 LPACAP. – Permitirá la comprobación de la autenticidad e integridad de los documentos facilitados por el sector público estatal a través del **Código Seguro de Verificación** o de cualquier otro sistema de firma o sello basado en certificado electrónico cualificado que se haya utilizado en su generación. – El PAGe de la AGE podrá interoperar con portales web oficiales de la UE.

2.6. *La Carpeta Ciudadana*

Esquema 10. Carpeta ciudadana del sector público estatal

CARPETA CIUDADANA DEL SECTOR PÚBLICO ESTATAL (Art. 8)	– **¿Qué es?** Es el área personalizada de las personas interesadas a que se refiere el art. 7.3 en su relación con el sector público estatal. – **¿Quién puede acceder?** El interesado, sus representantes legales y quien ostente un poder general previsto en el art. 6.4 a LPAAP otorgado por el interesado e inscrito en el Registro Electrónico de Apoderamientos. – **¿Cómo es accesible?** A través de la sede electrónica del PAGe de la AGE. – **¿Qué funcionalidades ofrece?** • Permitir el seguimiento del estado de tramitación de los procedimientos en que sea interesado, de acuerdo con lo previsto en el art. 53.1 a LPACAP. • Permitir el acceso a sus comunicaciones y notificaciones. • Conocer qué datos suyos obran en poder del sector público estatal, sin perjuicio de las limitaciones que establezca la normativa vigente. • Facilitar la obtención de certificaciones administrativas exigidas por la normativa correspondiente. – **¿Cómo se accede?** Mediante los sistemas de identificación a los que se refiere el art. 9.2 LPACAP. – **¿Qué deber tiene el interesado?** Asegurar el buen uso de los sistemas de identificación y velar por que el acceso a su carpeta ciudadana solo se haga por sí mismo o por tercero autorizado.

Capítulo 2

La instrucción del procedimiento administrativo[*]

1. Introducción

La instrucción es la fase que se sitúa entre la iniciación y la terminación del procedimiento administrativo y tiene la finalidad de instruir sobre el fondo del asunto al órgano que debe dictar la resolución administrativa. Consta de una serie de actuaciones que tienen como objetivo determinar, conocer y comprobar los hechos sobre los cuales se debe fundamentar la resolución administrativa.

El expediente, como manifestación de la materialización del procedimiento, recoge de forma ordenada el conjunto de documentos y actuaciones que sirven de antecedentes y fundamento de la resolución administrativa, así como las diligencias encaminadas a ejecutar la resolución administrativa. El expediente tendrá formato electrónico y se formará mediante la agregación ordenada de cuantos documentos, pruebas, dictámenes, informes, acuerdos, notificaciones y demás diligencias deban integrarlo, así como un índice numerado de todos los documentos que contenga cuando se remita. También, deberá constar en el expediente copia electrónica certificada de la resolución adoptada (art. 70. 1 y 2).

No formará parte del expediente administrativo la información que tenga carácter auxiliar o de apoyo, como aquella contenida en aplicaciones, ficheros y bases de datos informáticas, notas, borradores, opiniones, resúmenes, comunicaciones e informes internos o entre órganos o entidades administrativas, así como los meros juicios de valor emitidos por las Administraciones Públicas, salvo que se trate de informes, preceptivos y facultativos, solicitados antes de la resolución administrativa que ponga fin al procedimiento (art.70.4).

Según Sánchez Morón, hay que interpretar este precepto de manera restrictiva y aplicarlo con la máxima cautela ya que excluir esta información puede "permitir a la Administración hurtar a los interesados y, en su caso, a los órganos de control, las razones reales de la decisión" [SÁNCHEZ MORÓN M. (2021), Derecho Administrativo. Parte General, 17ª ed., Ed. Tecnos, Madrid, pp. 502].

---

[*] Dra. Anna Pallarès Serrano, *Profesora Titular de Derecho Administrativo, Universitat Rovira i Virgili.*

Sin perjuicio del derecho de los interesados —que también pueden tener la iniciativa para proponer aquellas actuaciones que requieren su intervención o que constituyen trámites legales o reglamentariamente establecidos—, el procedimiento administrativo se impulsará de oficio a través de medios electrónicos, respetando los principios de transparencia, publicidad y celeridad.

Los responsables directos de la tramitación del procedimiento y, en especial, del cumplimiento de los plazos establecidos son las personas designadas como órgano instructor o, en su caso, los titulares de las unidades administrativas que tengan atribuida la función instructora (art.71.3). La recusación es la única cuestión incidental que al suscitarse en el procedimiento suspende la tramitación del mismo (art.74).

De acuerdo con el principio de celeridad y simplificación administrativa, se dispone que se acordarán en un solo acto todos los trámites que, por su naturaleza, admitan un impulso simultáneo y no sea obligado su cumplimiento sucesivo. Cuando se soliciten trámites que se han de cumplir por otros órganos se deberá consignar, en la comunicación cursada, el plazo legal establecido al efecto (art.72).

Aunque los medios o instrumentos de instrucción varían en función del procedimiento de que se trate, generalmente nos referimos a las alegaciones, la prueba, los informes, el trámite de audiencia y la información pública.

ESQUEMA **11. Aspectos generales (arts. 32, 73 y 75 LPACAP)**

CONCEPTO	En el procedimiento administrativo, después de la iniciación y antes de la terminación, se dan una serie de actuaciones que tienen como objetivo determinar, conocer y comprobar los hechos sobre la que se ha de basar la resolución administrativa (art. 75.1). En definitiva, se trata de instruir sobre el fondo del asunto al órgano que ha de dictar el acto administrativo resolutorio.
INICIATIVA	– Se realizarán *de oficio* y a través de medios electrónicos, por el órgano que tramite el procedimiento, los actos de instrucción necesarios para la determinación, conocimiento y comprobación de los hechos en virtud de los cuales deba pronunciarse la resolución. – *Los interesados también tienen la iniciativa* para proponer aquellas actuaciones: a) que requieren su intervención o b) que constituyen trámites legales o reglamentariamente establecidos (art. 75.1).

ACTUACIÓN DE LOS INTERESADOS Y DEL ÓRGANO INSTRUCTOR	– Los actos de instrucción que requieran la intervención de los interesados habrán de practicarse en la forma que resulte más cómoda para ellos y sea compatible, en la medida de lo posible, con sus obligaciones laborales o profesionales (art.75.3). – En todo caso, cuando los interesados lo consideren conveniente, para defender mejor sus intereses, podrán actuar asistidos de asesor. – En el transcurso del procedimiento, el órgano instructor ha de adoptar las medidas necesarias para lograr el pleno respeto a los principios de contradicción y de igualdad de los interesados (art. 75.4). – El plazo general que establece la normativa para que los interesados cumplimenten los trámites correspondientes en el procedimiento y para que subsanen los actos por ellos realizados es de 10 días a partir del día siguiente a su notificación. A los interesados que no cumplan con este plazo se les podrá declarar decaídos en su derecho al trámite correspondiente. No obstante, se admitirá la actuación del interesado y producirá sus efectos legales, si se produjera antes o dentro del día que se notifique la resolución en la que se tenga por transcurrido el plazo (art. 73).
MEDIOS O INSTRUMENTOS DE INSTRUCCIÓN	– Las alegaciones. – La prueba. – Los informes. – El trámite de audiencia. – La información pública.
VIRTUALIDADES QUE HA DE TENER EL SISTEMA UTILIZADO PARA INSTRUIR LOS PROCEDIMIENTOS	– La aplicación o sistema de información que se utilice ha de garantizar: a) El control de los tiempos y plazos b) La identificación de los órganos responsables c) La tramitación ordenada de los expedientes – Así, como facilitar: a) La simplificación y b) La publicidad de los procedimientos (art. 75.2)
CONSECUENCIAS DE LAS INCIDENCIAS TÉCNICAS Y LOS CIBERINCIDENTES EN EL SISTEMA DE PLAZOS	– Cuando una incidencia técnica imposibilite el funcionamiento ordinario del sistema, y hasta que se solucione el problema, la Administración podrá determinar una ampliación de los plazos no vencidos, debiendo publicar en la sede electrónica tanto la incidencia como la ampliación concreta del plazo no vencido (art. 32.4). – Cuando como consecuencia de un ciberdelincuente se hayan visto gravemente afectados los servicios y sistemas utilizados para la tramitación de los procedimientos y el ejercicio de los derechos de los interesados que prevé la normativa vigente, la Administración podrá acordar la ampliación general de plazos de los procedimientos administrativos (art. 32.5).

Esquema **12. Comunicaciones electrónicas, documentos electrónicos y expediente administrativo electrónico (arts. 46, 51, 52 y 53 Real Decreto 203/2021, de 30 de marzo, por el que se aprueba el Reglamento de actuación y funcionamiento del sector público por medios electrónicos)**

COMUNICACIONES ELECTRÓNICAS	Cuando la relación de las personas interesadas con la Administración se deba realizar electrónicamente, como mínimo se utilizarán los medios electrónicos para las siguientes comunicaciones: – La fecha y, en su caso, hora efectiva de inicio del cómputo de plazos que haya de cumplir la Administración tras la presentación del documento o documentos en el registro electrónico, de acuerdo con lo previsto en el artículo 31.2.c) de la LPACAP. – La fecha en que la solicitud ha sido recibida en el órgano competente, el plazo máximo para resolver el procedimiento y para la práctica de la notificación de los actos que le pongan término, así como de los efectos del silencio administrativo, de acuerdo con lo previsto en el artículo 21.4 de la LPACAP. – La solicitud de pronunciamiento previo y preceptivo a un órgano de la Unión Europea y la notificación del pronunciamiento de ese órgano de la Unión Europea a la Administración instructora, de acuerdo con lo previsto en el artículo 22.1.b) de la LPACAP. – La existencia, desde que se tenga constancia de la misma, de un procedimiento no finalizado en el ámbito de la Unión Europea que condicione directamente el contenido de la resolución, así como la finalización de dicho procedimiento, de acuerdo con lo previsto en el artículo 22.1.c) de la LPACAP. – La solicitud de un informe preceptivo a un órgano de la misma o distinta Administración y la recepción, en su caso, de dicho informe, de acuerdo con lo previsto en el artículo 22.1.d) de la LPACAP. – La solicitud de previo pronunciamiento de un órgano jurisdiccional, cuando este sea indispensable para la resolución del procedimiento, así como el contenido del pronunciamiento cuando la Administración actuante tenga la constancia del mismo, de acuerdo con lo previsto en el artículo 22.1.g) de la LPACAP. – La realización del requerimiento de anulación o revisión de actos entre administraciones previsto en el artículo 22.2.a) de la LPACAP, así como su cumplimiento o, en su caso, la resolución del correspondiente recurso contencioso-administrativo (art. 41).

ACCESO DEL INTERESADO A DOCUMENTOS ADMINISTRATIVOS ELECTRÓNICOS	– Cuando en el marco de un procedimiento administrativo tramitado electrónicamente el órgano administrativo actuante esté obligado a facilitar al interesado un ejemplar de un documento administrativo electrónico podrá cumplir dicha obligación entregando al interesado los datos necesarios para acceder a dicho documento por los medios electrónicos pertinentes (art. 46.2). – Se entiende por documento administrativo electrónico la información de cualquier naturaleza en forma electrónica, archivada en un soporte electrónico, según un formato determinado y susceptible de identificación y tratamiento diferenciado admitido en el Esquema Nacional de Interoperabilidad y normativa correspondiente, y que haya sido generada, recibida o incorporada por las Administraciones Públicas en el ejercicio de sus funciones sujetas a Derecho administrativo (art. 46.1).
CONSERVACIÓN DE DOCUMENTOS, EN SOPORTE PAPEL O ELECTRÓNICO, PRESENTADOS POR EL INTERESADO	– Los documentos presentados por el interesado en soporte papel o el formato electrónico dentro de un dispositivo, que por cualquier circunstancia no le puedan ser devueltos en el momento de su presentación, una vez digitalizados, los primeros, o incorporados al expediente, los segundos, serán conservados a su disposición durante seis meses para que pueda recogerlos, independientemente del procedimiento administrativo al que se incorporen o de la Administración Pública a que vayan dirigidos, salvo que reglamentariamente la Administración correspondiente establezca un plazo mayor (art. 53.1 y 53.2). – Transcurrido el plazo de seis meses, y siempre que no se trate de documentos con valor histórico, artístico u otro relevante o de documentos en los que la firma u otras expresiones manuscritas o mecánicas confieran al documento un valor especial, la destrucción de los documentos se realizará de acuerdo con las competencias de los órganos correspondientes (art.53.3).

EXPEDIENTE ADMINISTRATIVO ELECTRÓNICO	En relación a la configuración del expediente administrativo electrónico se establece: – El foliado de los expedientes administrativos electrónicos se llevará a cabo mediante un índice electrónico autenticado que garantizará la integridad del expediente y permitirá su recuperación siempre que sea preciso. – El índice electrónico autenticado será firmado por el titular del órgano que conforme el expediente para su tramitación o bien podrá ser sellado electrónicamente en el caso de expedientes electrónicos que se formen de manera automática, a través de un sistema que garantice su integridad. – Un mismo documento electrónico podrá formar parte de distintos expedientes administrativos (art. 51). Sobre los derechos de acceso al expediente electrónico y la obtención de copias de los documentos electrónicos reconocidos en el art. 53.1.a) LPACAP, se determina que se entenderán satisfechos mediante la puesta a disposición de dicho expediente en el Punto de Acceso General electrónico de la Administración competente o en la sede electrónica o sede electrónica asociada que corresponda y que, a tal efecto, la Administración destinataria de la solicitud remitirá al interesado o, en su caso a su representante, la dirección electrónica o localizador que dé acceso al expediente electrónico puesto a disposición, garantizando la Administración el acceso durante el tiempo que determine la correspondiente política de gestión de documentos electrónicos siempre de acuerdo con el dictamen de valoración emitido por la autoridad calificadora correspondiente, y el cumplimiento de la normativa aplicable en materia de protección de datos de carácter personal y de transparencia y acceso a la información pública y de patrimonio documental, histórico y cultural (art. 52).

2. Los medios o instrumentos de instrucción

2.1. *Las alegaciones sobre el fondo del asunto*

Esquema 13. **Las alegaciones sobre el fondo del asunto (art. 76.1 LPACAP)**

CONCEPTO	Las alegaciones sobre el fondo del asunto hacen referencia a aquellas manifestaciones de los interesados, proporción de documentos u otros elementos de juicio que sirven para aportar datos sobre el fondo del asunto para que sean tenidos en cuenta por el órgano competente al redactar la correspondiente propuesta de resolución.
MOMENTO	Estas alegaciones se pueden realizar en cualquier momento del procedimiento anterior al trámite de audiencia.
SUJETOS	Los sujetos legitimados para presentar alegaciones son los interesados.

EFECTOS	– Aportación de datos al procedimiento. – Que los datos sean tenidos en cuenta por el órgano competente al redactar la propuesta de resolución.

2.2. Las alegaciones sobre cuestiones formales o procedimentales (art. 76.2 LPACAP)

ESQUEMA 14. Las alegaciones sobre cuestiones formales o procedimentales (art. 76.2 LPACAP)

CONCEPTO	Las alegaciones sobre cuestiones formales o procedimentales son aquellas que se refieren a los defectos de tramitación y, en especial, los que supongan paralización, infracción de los plazos preceptivamente señalados o la omisión de trámites.
MOMENTO	En todo momento antes de la resolución definitiva.
SUJETOS	Los sujetos legitimados son los interesados.
EFECTOS	– La subsanación de estos defectos procedimentales. – La exigencia de la correspondiente responsabilidad disciplinaria, si hubiere razones para ello.

2.3. La prueba

ESQUEMA 15. La prueba (arts. 77-78 LPACAP)

RAZÓN DE SER EN EL PROCEDIMIENTO	Al órgano decisor, para pronunciarse sobre el fondo del asunto, no le basta con los datos aportados a través de las alegaciones, sino que necesita de su comprobación. Esta actividad de comprobación corresponde al trámite de la prueba.
DEFINICIÓN	Podemos definir la prueba como aquel acto o serie de actos admisibles en derecho que sirven para acreditar y comprobar los hechos y datos que se consideran relevantes para la decisión de un procedimiento.

MEDIOS DE PRUEBA	– Cualquiera admisible en derecho. Por lo tanto:
	  a) No se pueden tener en cuenta aquellas pruebas que hayan sido obtenidas ilegalmente.
	  b) Se establece un sistema abierto, no tasado ni cerrado de los medios de prueba.
	– Citamos a título de ejemplo:
	  a) Declaración del interesado (confesión).
	  b) Testimonio.
	  c) Pericia.
	  d) Careo.
	  e) Exploración de objetos en el lugar donde se desarrolla el procedimiento.
	  f) Examen de lugares y objetos que no son susceptibles de ser llevados al lugar donde se está desarrollando el procedimiento (art. 77.1).

¿CUÁNDO SE UTILIZARÁ?	La apertura de un periodo de prueba se acordará cuando la Administración no tenga por ciertos los hechos alegados por los interesados o la naturaleza del procedimiento lo exija. De manera que, la determinación del momento en que debe acordarse la apertura del periodo de prueba queda a criterio del instructor (art. 77.2).
ADMISIÓN Y RECHAZO DE LA PRUEBA	El instructor del procedimiento: – Sólo podrá rechazar las pruebas propuestas por los interesados, mediante resolución motivada, cuando sean manifiestamente improcedentes o innecesarias. – Tendrá que admitir las pruebas propuestas por los interesados en el resto de supuestos, es decir, cuando se trate de pruebas necesarias, procedentes o no manifiestamente improcedentes (artículo 77.3).
PLAZO	– La regla general es que el periodo de prueba no es superior a 30 días ni inferior a 10 (art. 77.2). – Asimismo, cuando lo considere necesario, el instructor, a petición de los interesados, podrá decidir la apertura de un período extraordinario de prueba por un plazo no superior a diez días (art. 77.2). – Prueba posterior al periodo específico establecido: En el trámite de audiencia, en un plazo no inferior a diez días ni superior a quince, los interesados tienen la posibilidad no sólo de alegar, sino también de presentar los documentos y justificaciones que estimen pertinentes (art. 82.2).

¿CÓMO?	– La Administración comunicará a los interesados, con la antelación suficiente, el inicio de las actuaciones necesarias para la realización de las pruebas que hayan sido admitidas. – En la notificación se consignará el lugar, fecha y hora en que se practicará la prueba, con la advertencia, en su caso, de que el interesado puede nombrar técnicos para que le asistan. – Por lo demás, existe libertad y flexibilidad en cuanto a la manera de llevar a cabo la práctica de la prueba (art. 78.1 y 78.2).
LOS GASTOS DE LA PRUEBA	– Cuando se tengan que efectuar pruebas a petición del interesado cuya realización impliquen gastos que no deba soportar la Administración, ésta podrá exigir el anticipo de los mismos al interesado, a reserva de la liquidación definitiva una vez practicada la prueba. La norma no nos aclara cuales son los gastos que no debe soportar la Administración. – La Administración cargará con los gastos de la prueba cuando ésta se practique de oficio y también cuando la prueba se realice a petición del interesado e implique gastos que deba soportar la Administración (art. 78.3).
VALORACIÓN DE LA PRUEBA	– La valoración de la prueba se realizará de acuerdo con los criterios establecidos en la LEC (art. 77.1) que establece, de manera generalizada, que las diferentes pruebas se valorarán, entre otros criterios, según las reglas de la sana crítica. Por lo tanto, el órgano decisor ha de valorar las pruebas utilizando la lógica, la experiencia y los conocimientos científicos. Como la normativa no fija el valor de la prueba, la argumentación del órgano decisor ha de ser razonada, fundamentada y razonable. – En cambio, la normativa sí que establece que los documentos formalizados por los funcionarios a los que se reconoce la condición de autoridad y en los que, observándose los requisitos legales correspondientes, se recojan los hechos constatados por aquéllos harán prueba de estos hechos salvo que se acredite los contrario (art. 77.5). – Cuando la valoración de las pruebas practicadas pueda constituir el fundamento básico de la decisión que se adopte en el procedimiento, por ser pieza imprescindible para la correcta evaluación de los hechos, deberá incluirse en la propuesta de resolución (art. 77.7).

2.4. Los informes

Esquema 16. Los informes (arts. 79 a 81 LPACAP)

DEFINICIÓN	El informe administrativo es un acto jurídico de la Administración Pública, consistente en una declaración de juicio realizada por un órgano que se supone especialmente cualificado en la materia o en las materias que se sustancian en el procedimiento y que, por tanto, ha de servir para ilustrar al órgano decisor, proporcionándole nuevos datos o corroborando los datos ya existentes en el expediente.
PETICIÓN DE INFORMES	– A efectos de la resolución del procedimiento, se solicitarán aquellos informes que: a) Sean preceptivos por disposiciones legales, citándose el precepto que lo exija. b) Se juzguen necesarios para resolver un concreto procedimiento, fundamentando la conveniencia de reclamarlos. – En la petición de informe se concretará el extremo o extremos acerca de los que se solicita (art. 79).
CLASES	– La regla general es que los informes son facultativos y no vinculantes. – Se entenderá que un informe es preceptivo cuando la prueba del procedimiento consista en la emisión de un informe por un órgano administrativo, organismo público o Entidad de derecho público (art. 77.6). – Una disposición, de manera expresa, puede determinar que en un concreto procedimiento el informe tenga carácter preceptivo y/o vinculante (art. 80.1).
PLAZO	– La regla general es que los informes se han de emitir, a través de medios electrónicos y de acuerdo con los requisitos legalmente exigidos, en el plazo de 10 días. – Excepciones: Se permite o exige un plazo mayor o menor en los siguientes casos: a) Cuando una disposición así lo establezca. b) Cuando el cumplimiento del resto de los plazos del procedimiento así lo condicione (art. 80.2).

INCUMPLIMIENTO DEL PLAZO	– Si no se emite el informe en el plazo señalado, la regla general es que se *podrán* proseguir las actuaciones: a) Tanto si el informe lo ha de emitir un órgano de la misma Administración. b) Como si el informe lo ha de emitir un órgano de distinta Administración a la que tramita el procedimiento. – Excepción: Si se trata de un informe preceptivo se *puede* suspender el transcurso del plazo máximo legal para resolver el procedimiento. La interrupción del plazo legal para resolver un procedimiento se realizará por el tiempo que media entre la petición y la recepción del informe. El plazo de suspensión no podrá exceder en ningún caso de tres meses. En el caso de no recibirse el informe en el plazo indicado, proseguirá el procedimiento (arts. 22.1 d), 80.3 y 80.4).
EFECTOS DEL INFORME EMITIDO FUERA DE PLAZO	– El informe emitido fuera de plazo *podrá no ser tenido en cuenta* al adoptar la correspondiente resolución. – Al responsable de la demora se le *puede* exigir responsabilidad (art. 80. 3 y 80.4).

2.5. *El trámite de audiencia*

Esquema 17. El trámite de audiencia (art. 82 LPACAP)

SE TRATA DE UN TRÁMITE GARANTIZADO CONSTITUCIONALMENTE	– En concreto, el artículo 105 c) CE establece que la Ley regulará "el procedimiento a través del cual deben producirse los actos administrativos, *garantizando, cuando proceda, la audiencia del interesado*". – Se considera el trámite de audiencia como un trámite esencial que encuentra su fundamento en el principio de que "nadie puede ser condenado sin ser oído". En definitiva, es una manifestación del carácter contradictorio del procedimiento administrativo.
¿EN QUÉ CONSISTE?	– El trámite de audiencia consiste en poner el expediente administrativo correspondiente de manifiesto a los interesados o, en su caso, a sus representantes, y ofrecer la posibilidad de que los interesados aleguen y presenten los documentos y justificaciones que consideren necesarios en un plazo determinado. La llamada audiencia del interesado consta de cuatro momentos: a) Acuerdo ordenando el trámite y su notificación a los interesados. b) Manifestación del expediente. c) Examen del expediente por los interesados. d) Escrito de alegaciones y presentación de documentos y justificaciones (art. 82.1 y 82.2).

¿EN QUE MOMENTO SE HA DE REALIZAR?	– El trámite de audiencia se ha de realizar después de llevar a cabo los instrumentos de instrucción necesarios para resolver el procedimiento e inmediatamente antes de redactar la propuesta de resolución. – Cuando formen parte del procedimiento un informe del órgano competente para el asesoramiento jurídico o un dictamen del Consejo de Estado u órgano consultivo equivalente de la Comunidad Autónoma, la audiencia a los interesados se realizará con anterioridad a la solicitud de los citados documentos (art. 82.1).
PLAZO	El plazo del trámite de audiencia no es inferior a diez días ni superior a quince (art. 82.2).
LA RENUNCIA AL TRÁMITE DE AUDIENCIA POR PARTE DEL INTERESADO	– Estamos ante una *renuncia expresa* al trámite de audiencia cuando los interesados manifiestan, antes del transcurso del plazo correspondiente, la decisión de no efectuar alegaciones ni aportar nuevos documentos o justificantes (art. 82.3). – Existe una *renuncia tácita* por los interesados al trámite de audiencia cuando éstos optan por dejar desierto el trámite, es decir, por dejar transcurrir el plazo sin examinan el expediente ni alegar lo que convenga para su defensa. – Como consecuencia de estas renuncias, los interesados no podrán en el futuro alegar indefensión por la falta de audiencia.
CUANDO SE PUEDE PRESCINDIR DEL TRÁMITE DE AUDIENCIA	La expresión "cuando proceda" del artículo 105 c) de la CE se materializa en esta posibilidad que tiene la Administración de prescindir del trámite de audiencia cuando no figuren en el procedimiento ni sean tenidos en cuenta en la resolución otros hechos ni otras alegaciones y pruebas que las aducidas por el interesado. En definitiva, esta posibilidad o libertad de apreciación de la Administración se reconduce a la determinación de si la omisión del trámite puede provocar la indefensión del interesado (art. 82.4).

2.6. *La información pública*

ESQUEMA 18. La información pública (art. 83 LPACAP)

FINALIDAD	– La finalidad de la información pública es, por un lado, posibilitar que, ante un procedimiento administrativo iniciado de oficio o a instancia de determinados interesados, otros posibles afectados tengan conocimiento de lo que se sustancia en el procedimiento y la posibilidad de alegar lo conveniente. – Por otro lado, la información pública también tiene por finalidad que la opinión de cualquier persona física o jurídica, a la que no le es indiferente la cuestión de fondo planteada en el procedimiento, pueda ser conocida y valorada por el órgano resolutorio. – Es una manifestación del carácter contradictorio del procedimiento, de los principios de publicidad y transparencia y de la participación de los ciudadanos en los asuntos administrativos.
¿CUÁNDO?	Se *podrá* acordar un periodo de información pública *cuando la naturaleza del procedimiento lo requiera*. La regla general es que no es un trámite obligatorio pero muchas leyes sectoriales exigen la apertura de un periodo de información pública.
ÓRGANO COMPETENTE	El órgano competente para acordar un periodo de información pública es *el órgano al que corresponda la resolución del procedimiento*.
¿CÓMO?	– *El acuerdo* de abrir un periodo de información pública *se anunciará* en el Diario oficial correspondiente. – El anuncio establecerá el lugar de exhibición y el plazo para examinar el expediente y presentar alegaciones. El citado plazo será el que acuerde el órgano competente teniendo en cuenta que en ningún caso podrá ser inferior a 20 días. El expediente ha de estar en todo caso a disposición de las personas que lo soliciten a través de medios electrónicos en la sede electrónica correspondiente. – Se procede al examen del expediente o a la parte de éste que se acuerde. – Se presentan las alegaciones que se consideren necesarias. – Los que presenten alegaciones u observaciones en este trámite tienen derecho a obtener de la Administración una respuesta razonada, que podrá ser común para todas aquellas alegaciones que planteen cuestiones sustancialmente iguales.

INFORMACIÓN PÚBLICA E INTERESADO	La participación en el trámite de información pública y la condición de interesado son cuestiones que no se deben confundir. No son causa y efecto. En este sentido: – La mera comparecencia en el trámite de información pública no otorga la condición de interesado y, por tanto, no legitima para impugnar el acto resolutorio del procedimiento. – Aunque los interesados no comparezcan en el trámite de información pública podrán interponer, contra la resolución definitiva del procedimiento, los recursos procedentes.
OTRAS FORMAS DE PARTICIPACIÓN DE LOS CIUDADANOS	De acuerdo con lo que establezcan las Leyes, en el procedimiento en el que se dictan los actos administrativos, las Administraciones Públicas podrán establecer otras formas, medios y cauces de participación de las personas, directamente o a través de las organizaciones y asociaciones reconocidas por la Ley.

Capítulo 3

La finalización del procedimiento administrativo*

1. INTRODUCCIÓN

De la misma forma que lo hacía la ya derogada LRJPAC, la LPACAP incorpora en los arts. 84 a 95, un listado de causas que dan lugar a la terminación del procedimiento: la resolución, el desistimiento, la renuncia al derecho en que se funda la solicitud, la declaración de caducidad, la imposibilidad material de continuar el procedimiento por causas sobrevenidas y, si así se ha previsto expresamente, la terminación convencional. Ésta última, a diferencia del resto, no participa de la naturaleza jurídica de los actos administrativos (unilateralidad), sino que constituye un acto o negocio jurídico bilateral de naturaleza contractual en el cual el interesado se implica activamente.

Debe señalarse, asimismo, que si bien estas formas de finalización de procedimiento se materializan en actos definitivos (porque ponen fin al mismo), no todos ellos se producen siguiendo la secuencia procedimental lógica, esto es, tras la fase de instrucción, y proporcionando una respuesta efectiva a la cuestión que ha originado su incoación, ya sea de oficio o a solicitud del interesado. Únicamente satisfacen este objetivo la terminación convencional y la resolución *strictu sensu,* esto es, la que se pronuncia sobre el fondo del asunto planteado. Efectivamente, el desistimiento, la renuncia, la caducidad y la imposibilidad material también dan lugar a una "resolución" en el sentido amplio de acto finalizador, pero ésta se limita a declarar la circunstancia que ha concurrido para considerar extinguido el procedimiento (art. 21.1 *in fine*), sin entrar en otras disquisiciones (no decide, por tanto, sobre el fondo del asunto ya sea por causa imputable al interesado, como el desistimiento y la renuncia; a la Administración, como la caducidad; o bien a ninguna de las dos partes, como la imposibilidad sobrevenida de continuar el procedimiento).

En lo que a este capítulo se refiere, y en aras de una mayor claridad didáctica, reservamos el concepto de resolución exclusivamente para los actos finalizadores que se pronuncian sobre las cuestiones suscitadas a lo largo del procedimiento administrativo. Veremos, además, que, o bien se dicta una resolución expresa, o bien se produce un silencio administrativo, dependiendo de si el órgano reso-

*   Dra. JUDITH GIFREU FONT, *Profesora Titular de Derecho Administrativo, Universidad Autónoma de Barcelona.*

lutorio competente exterioriza su parecer de forma manifiesta mediante la correspondiente declaración de voluntad, notificándola a los interesados dentro de los plazos previstos a tal efecto o, por el contrario, adopta un rol pasivo, permitiendo que éstos venzan sin dar contestación a las demandas planteadas. En este último caso, ciertamente no se entra a resolver el fondo del asunto (con su correspondiente motivación), pero la aplicación de las reglas del silencio administrativo (arts. 21 a 25 LPACAP) permite atribuir a tal inactividad administrativa unos efectos jurídicos presuntivos (que no tienen, sin embargo, el carácter de "acto administrativo" presunto) finalizadores del procedimiento aunque persiste la obligación de dictar una resolución expresa, ahora ya extemporánea, puesto que el silencio administrativo no es una facultad de la Administración, sino una garantía contra su inactividad.

2. LAS FORMAS DE FINALIZACIÓN DEL PROCEDIMIENTO

ESQUEMA 19. Formas de finalización del procedimiento (arts. 84 a 95 LPACAP)

El art. 84 reproduce literalmente el contenido del art. 87 LRJPAC sin ninguna novedad añadida. En este sentido, se prevén como modos de terminación del procedimiento: la resolución, el desistimiento, la renuncia, la caducidad y la imposibilidad material de continuarlo por causas sobrevenidas.

FORMAS DE FINALIZACIÓN DEL PROCEDIMIENTO (arts. 84 a 95 LPACAP)		
Mediante acto bilateral	Mediante acto unilateral	
Terminación convencional (art. 86 LPACAP)	Resolución (arts. 87 a 92 LPACAP)	Declaración de extinción del procedimiento, sin entrar en el fondo del asunto (arts. 84 y 93 a 95 LPACAP)
Acuerdos Pactos Convenios Contratos	Expresa Presunta (por silencio positivo)	Desistimiento Renuncia Caducidad Imposibilidad material

2.1. Terminación convencional

ESQUEMA 20. Terminación convencional del procedimiento (art. 86 LPACAP)

TERMINACIÓN CONVENCIONAL	
CONCEPTO	El art. 86 LPACAP permite sustituir la resolución unilateral administrativa por la terminación convencional como causa de extinción del procedimiento. Así pues, la terminación convencional supone la finalización del procedimiento mediante un acuerdo bilateral entre la Administración y el interesado, en sustitución de la resolución unilateral que dicta la Administración. En ocasiones, sin embargo, este acuerdo puede no tener el carácter de acto finalizador, sino que funciona como un acto previo y preparatorio de la resolución que pone fin al procedimiento. Prevista como una novedad por la Exposición de Motivos de la LRJPAC, la terminación convencional ya era habitual en la práctica administrativa, especialmente en ciertos sectores de actividad como, por ejemplo, en el urbanístico (art. 234 Ley de Régimen del Suelo y Ordenación Urbana de 12 de mayo de 1956) o en la expropiación forzosa (convenio sobre justiprecio, art. 24 LEF). Lejos de constituir una mera exposición de intenciones, la terminación convencional es un acuerdo de voluntades de carácter vinculante entre los interesados y la Administración, en ejercicio de sus potestades discrecionales, mediante el recurso a distintas fórmulas de concertación como son el acuerdo, el pacto, el convenio o el contrato. El art. 86 regula la terminación convencional en los mismos términos que lo hacía el derogado art. 88 LRJPAC, si bien agrega un nuevo párrafo relativo a la terminación convencional en los procedimientos de responsabilidad patrimonial, estableciendo que el acuerdo que se suscriba deberá fijar la cuantía y el modo de indemnización, según los criterios que para su cálculo y abono establece el art. 34 LRJSP.

NATURALEZA JURÍDICA	La determinación de la naturaleza jurídica del convenio (si se trata de un acto administrativo o de un verdadero contrato administrativo) ha sido discutida por la doctrina y puede variar en función de su alcance y contenido. Así, el art. 47 LRJSP dispone que los convenios no podrán tener por objeto prestaciones propias de los contratos, y que, en tal caso, su naturaleza y régimen jurídico se ajustará a lo previsto en la legislación de contratos del sector público. Por su parte, el art. 6.2 de la Ley 9/2017, de 8 de noviembre, de Contratos del Sector Público, por la que se trasponen al ordenamiento jurídico español las Directivas del Parlamento Europeo y del Consejo 2014/23/UE y 2014/24/UE, de 26 de febrero de 2014, somete a su regulación los convenios que celebre la Administración con personas físicas o jurídicas sujetas al derecho privado, si su objeto está comprendido en el de los contratos regulados en esta Ley o en normas administrativas especiales. En cualquier caso, no pueden participar de este carácter los convenios que tengan por objeto concretar el alcance de las obligaciones impuestas por la ley al administrado, por ejemplo, en el caso de convenios que determinen el pago de los gastos de urbanización a cargo de los propietarios, considerados negocios jurídicos de fijación [García De Enterría, E. y Fernández Rodríguez, T. R. (1995), *Tratado de Derecho Administrativo,* 7ª ed., Civitas, Madrid, pp. 645 y ss.].
PRESUPUESTO LEGAL	La posibilidad de suscribir acuerdos no es admisible con carácter general en todos los procedimientos administrativos, sino que se exige que previamente se determine mediante una norma legal o reglamentaria. Así pues, para poder hacer uso de la terminación convencional es necesario que esta posibilidad haya sido prevista de antemano en una disposición que regule para cada caso su alcance, efectos y régimen jurídico específico, de modo que la LPACAP debe ser entendida, a estos efectos, como una norma en blanco que remite a una posterior regulación en el ámbito de los procedimientos sectoriales.
SUJETOS	A tenor del art. 86.1 LPACAP, la Administración Pública puede convenir con personas físicas o jurídicas, públicas o privadas.
CONTENIDO	Se fija un contenido mínimo del instrumento convenial, que podrá ampliarse a voluntad de las partes. Este contenido mínimo es el siguiente: a) la identificación de las partes intervinientes, b) el ámbito personal, funcional y territorial, y c) el plazo de vigencia.

LÍMITES	Los acuerdos suscritos en ningún caso podrán vulnerar el ordenamiento jurídico ni versar sobre materias no susceptibles de transacción. Tampoco pueden comportar la alteración de las competencias atribuidas a los órganos administrativos ni de las responsabilidades que les correspondan. Asimismo, el recurso a la terminación convencional queda invalidado cuando pueda contrariar la finalidad primordial de la Administración, que es la satisfacción del interés público. Por el contrario, esta fórmula puede convertirse en una solución apropiada y mucho más efectiva para alcanzar dicho fin que la fijación de normativas alejadas de la realidad, como sucede, por ejemplo, en materia medioambiental.
PUBLICIDAD	A pesar de someterse al principio de publicidad, la publicación de los instrumentos convencionales no es obligatoria, sino que se hace depender de su naturaleza y de los sujetos destinatarios. Así, por ejemplo, el art. 48.8 LRJSP dispone que los convenios suscritos por la Administración General del Estado o alguno de sus organismos públicos o entidades de derecho público vinculados o dependientes resultarán eficaces una vez inscritos en el Registro Electrónico estatal de Órganos e Instrumentos de Cooperación del sector público estatal, si bien podrán publicarse, con carácter facultativo, en el Boletín Oficial de la Comunidad Autónoma o de la provincia (según sea la otra Administración firmante). Por su parte, el art. 8 de la Ley 19/2013, de 9 de diciembre, de Transparencia, Acceso a la Información y Buen Gobierno, establece que la Administración debe hacer pública la relación y contenido de los convenios suscritos que tengan repercusión económica o presupuestaria. En el ámbito urbanístico, el art. 70 ter. LBRL obliga a las Administraciones Públicas con competencias de ordenación territorial y urbanística a poner a disposición de los ciudadanos que lo soliciten, copias completas de los planes territoriales y urbanísticos vigentes en su ámbito territorial, de los documentos de gestión y de los convenios urbanísticos. En el mismo sentido de dar publicidad a los convenios urbanísticos se expresa el art. 248 de la Ley 9/2001, de 17 de junio, del Suelo de la Comunidad de Madrid.
EFECTOS	Como ya hemos apuntado supra, las figuras convencionales tienen un efecto doble: pueden ser consideradas como actos finalizadores del procedimiento o, por el contrario, incorporarse al mismo antes de dictarse la resolución, con carácter vinculante o no.

2.2. Resolución

2.2.1. Concepto y requisitos

La resolución escrita es la forma lógica o "normal" [Martín Mateo, R., *Manual de Derecho Administrativo* (1993), 15ª ed., Trivium, Madrid] de finalizar un procedimiento administrativo, condensándose en ella el parecer de la Administración en el caso concreto, a la luz de los datos, hechos y pruebas incorporados en el expediente.

Las particularidades del contenido de la resolución se regulan en el art. 88 LPACAP, que reproduce el antiguo art. 89 LRJPAC con una novedad, relativa a la formalización electrónica de la resolución, que se recoge en el apartado cuarto: "Sin perjuicio de la forma y lugar señalados por el interesado para la práctica de las notificaciones, la resolución del procedimiento se dictará electrónicamente y garantizará la identidad del órgano competente, así como la autenticidad e integridad del documento que se formalice mediante el empleo de alguno de los instrumentos previstos en esta Ley".

Esquema **21. La resolución (art. 88 LPACAP)**

LA RESOLUCIÓN		
CONCEPTO		Es un acto terminal que contiene el pronunciamiento del órgano administrativo sobre todas las cuestiones de forma y fondo planteadas por los interesados en el procedimiento, así como las que se derivan del mismo, hayan sido alegadas o no por éstos (art. 88 LPACAP).
REQUISITOS	**SUBJETIVOS**	• **Órgano competente.** La resolución debe ser dictada por el órgano que tiene atribuida la competencia. En caso contrario, nos hallamos ante un supuesto de incompetencia y, por tanto, de invalidez del acto, por causa de nulidad de pleno derecho —si es manifiesta— o de anulabilidad —en los supuestos de falta de competencia jerárquica, que puede ser objeto de convalidación— (arts. 34.1, 47 y 48 LPACAP). • **Atribución de la competencia.** La competencia para resolver puede ser atribuida o adquirida por un órgano administrativo:

REQUISITOS **(cont.)**	**SUBJETIVOS** **(cont.)**	– Por ley o mediante desconcentración de un órgano jerárquicamente superior (competencia propia). – A través de la delegación revocable del ejercicio de determinadas competencias por un órgano en favor de otro perteneciente a la misma Administración, debiendo indicarse dicha circunstancia en las resoluciones que dicte el órgano delegado, que se entenderán dictadas por el órgano delegante. – Debe apuntarse que no todas las materias pueden ser objeto de delegación: por ejemplo, son indelegables tanto la adopción de disposiciones de carácter general como la resolución de recursos en favor de los órganos que hayan dictado los actos impugnados (art. 9 LRJSP). – Por avocación de un órgano superior respecto de asuntos de la competencia de órganos dependientes jerárquicamente de aquél (art. 10 LRJSP).
	OBJETIVOS	• **Juridicidad**. La Administración debe actuar con sometimiento pleno al ordenamiento jurídico, ajustándose al procedimiento establecido. Sus resoluciones deben ser objetivas e imparciales (arts. 9.1 y 103 CE y 34 LPACAP). • **Integridad**. La resolución deberá decidir sobre las peticiones formuladas por los interesados así como sobre todas las cuestiones que se deriven del expediente, aunque no hayan sido suscitadas por aquéllos. En este último supuesto, la Administración deberá manifestarlo previamente para que los interesados formulen las alegaciones que estimen pertinentes (art. 88.1 LPACAP). • **Congruencia**. La resolución que recaiga en los procedimientos iniciados a solicitud del interesado ha de ser congruente (con las peticiones formuladas por aquél, esto es, debe resolver las cuestiones planteadas por el interesado y no otras distintas), no pudiendo otorgar más de lo solicitado (*ultra petita*). No obstante, la obligación de resolver se extiende también a las cuestiones conexas que se deriven del procedimiento, hayan sido o no planteadas por los interesados. • **Interdicción de la *reformatio in peius***. La resolución no puede agravar la situación inicial del interesado. Esta garantía, que pretende evitar que los interesados se abstengan de plantear solicitudes en relación con su situación jurídico-administrativa por temor a quedar en peor situación, tras la resolución, que en su estado inicial, no estaba prevista en la Ley de Procedimiento Administrativo de 1958, y su incorporación a la normativa administrativa ha venido inspirada por la jurisprudencia. Esta garantía extiende sus efectos a la resolución de los recursos administrativos (arts. 88.2 y 119 LPACAP).

REQUISITOS (cont.)	OBJETIVOS (cont.)	<ul><li>**Motivación**. Constituye un requisito de forma que exige que determinados actos administrativos contengan una *"sucinta referencia de hechos y fundamentos de derecho"*, es decir, una identificación concisa de las razones de hecho y derecho, de los motivos, en suma, que fundamentan la decisión. A estos efectos, se entenderá que una resolución está motivada cuando el texto de los informes o dictámenes que obren en el expediente se integren literalmente en la misma o, sin incorporarse, se anexen a la resolución y sean asimismo notificados junto con ésta a los interesados. Entre los actos que deben ser objeto de motivación se encuentran los que limitan derechos subjetivos o intereses legítimos, los dictados en ejercicio de potestades discrecionales o los que se separan del precedente administrativo (arts. 35.1 y 88, apartados 3 y 6, LPACAP).</li><li>La motivación cumple una función esencial cual es la de arbitrar un medio para que pueda realizarse el control jurisdiccional de los actos administrativos. La falta o insuficiencia de motivación constituirá un vicio de anulabilidad o una mera irregularidad no invalidante, dependiendo de si ha generado o no una situación de indefensión al interesado: *"el deslinde de ambos supuestos se ha de hacer indagando si realmente ha existido una ignorancia de los motivos que fundan la actuación administrativa y si, por tanto, se ha producido o no la indefensión del administrado"* (STS de 3 abril 1990).</li><li>**Vías de impugnación**. La resolución expresará los recursos que procedan contra la misma, el órgano administrativo o judicial ante el que deban presentarse y el plazo de interposición, sin perjuicio de que los interesados puedan ejercitar cualesquiera otros que estimen convenientes (art. 88.3 LPACAP). En realidad, este requisito es más propio de la notificación, cuya regulación ya lo exige expresamente (art. 40.2 LPACAP) que del propio contenido de la resolución, creándose una duplicidad que en la práctica se resuelve en favor de su previsión en las notificaciones administrativas.</li></ul>

2.2.2. *La obligación de resolver en plazo de la Administración: actos expresos y presuntos*

La Administración Pública tiene el *deber* irrenunciable de dictar resolución expresa y en plazo en todos los procedimientos administrativos, manifestación palmaria del principio de prohibición del *non liquet* que rige los procesos judiciales. Esta exigencia impide que pueda abstenerse de discutir el asunto so pretexto de silencio, oscuridad o insuficiencia de la norma aplicable. No obstante, la LPACAP, de la misma forma que lo hacía la LRJPAC, posibilita que la Administración pueda inadmitir a trámite, sin entrar en el fondo del asunto, las solicitudes de reconocimiento de derechos no previstos en el ordenamiento jurídico o manifiestamente carentes de fundamento.

El capítulo II de la LPACAP contiene la regulación de los términos y los plazos del procedimiento administrativo, fijando las reglas para su cómputo, la ampliación de plazos establecidos para los interesados (de oficio o a solicitud de éstos) y la tramitación por la vía de urgencia. Las novedades más destacadas son las siguientes:

A. El establecimiento con carácter general de los plazos por horas (art. 30.1 LPACAP), una posibilidad ya prevista en algunos supuestos de la normativa sectorial (por ejemplo, el retorno del expediente o documentación consultados por el interesado en un término máximo de 48 horas, de acuerdo con el art. 16.2 LBRL; la ejecución de la devolución de extranjeros en el plazo de 72 horas, por aplicación del art. 58.6 de la Ley Orgánica 4/2000, de 11 de enero, sobre derechos y libertades de los extranjeros en España y su integración social y del art. 23.4 del Real Decreto 557/2011, de 20 de abril, por el que se aprueba el Reglamento de la Ley Orgánica 4/2000, sobre derechos y libertades de los extranjeros en España y su integración social, tras su reforma por Ley Orgánica 2/2009, etc.).

B. La declaración del sábado como día inhábil (art. 30.2 LPACAP), avanzando de esta manera en la equiparación del cómputo de plazos en vía administrativa y en vía jurisdiccional contencioso-administrativa —por aplicación supletoria de lo previsto en el art. 130.2 LEC—. Sin embargo, esta unificación de criterio no es absoluta, puesto que el mes de agosto continúa siendo hábil a efectos administrativos, a diferencia de lo que ocurre en la jurisdicción contencioso-administrativa. El art. 128.2 LJCA establece que "Durante el mes de agosto no correrá el plazo para interponer el recurso contencioso-administrativo ni ningún otro plazo de los previstos en esta Ley salvo para el procedimiento para la protección de los derechos fundamentales en el que el mes de agosto tendrá carácter de hábil". En el mismo sentido, el art. 162.2 LEC, que es de aplicación supletoria, dispone que "No se practicarán actos de comunicación a los profesionales por vía electrónica durante los días del mes de agosto, salvo que sean hábiles para las actuaciones que corresponda".

Términos y plazos no son conceptos sinónimos. El "término" remite a la obligación de realizar un acto o actuación *en un momento concreto y determinado*, mientras que el "plazo" se refiere a *un período de tiempo* durante el cual debe realizarse dicho acto o actuación, siendo indiferente cuando se lleva efectivamente a la práctica, siempre que se localice dentro de ese lapso temporal. Ambos, término y plazo, obligan por igual a las administraciones y a los interesados, aunque las repercusiones jurídicas de su incumplimiento son distintas, según se trate de unos u otros sujetos. En el caso de la Administración, debemos distinguir según sea la naturaleza de los plazos: a) si se rebasan plazos anudados al ejercicio de potestades administrativas, por ejemplo, la potestad sancionadora, el acto que se dicte se verá afectado por un vicio de invalidez por razón de haber prescrito la infracción; b) si se rebasan plazos procedimentales, el acto será extemporáneo, pero , por lo general, esa irregularidad no será invalidante en el caso de actos de trámite, mientras que, si se trata de actos finalizadores del procedimiento, se producirá una caducidad o un silencio administrativo negativo —y todo ello, al margen de la exigencia de posibles responsabilidades—.

En cambio, el incumplimiento de términos o plazos para la realización de trámites procedimentales por parte del interesado permite a la Administración declararlo decaído en su derecho (preclusión), de manera que no podrá culminar ese trámite o actuación, aunque tal trámite o actuación se admitirán y producirán efectos legales si se llevan a cabo antes o dentro del día en que se notifique la resolución en la que se tenga por transcurrido el plazo. El art. 73 LPACAP establece que los trámites que deban ser cumplimentados por los interesados deberán realizarse en el plazo de diez días a partir del siguiente al de la notificación del correspondiente acto, salvo en el caso de que en la norma aplicable se fije plazo distinto.

Los plazos anudados al procedimiento administrativo se regulan en los arts. 21 y 30 a 33 LPACAP. Si bien en lo que respecta a este capítulo interesa en particular la regulación de los plazos relativos a la resolución del procedimiento (art. 21), consideramos conveniente realizar, con carácter previo, una somera referencia a la regulación de los plazos en el marco general de la tramitación del expediente administrativo (arts. 30 a 33), advirtiendo de que tal regulación, por su referencia a la previa existencia de un acto administrativo notificado o publicado, se dirige esencialmente a pautar el cumplimiento de plazos por los interesados.

ESQUEMA 22. El cómputo de los plazos en el procedimiento administrativo (arts. 30 a 33 LPACAP)

EL CÓMPUTO DE LOS PLAZOS EN EL PROCEDIMIENTO ADMINISTRATIVO (arts. 30 a 33 LPACAP)	
DIES A QUO (DÍA INICIAL DEL CÓMPUTO)	De conformidad con el principio *dies a quo non computator in termino*, los plazos expresados en días, meses y años se cuentan *a partir del día siguiente* a aquel en que tenga lugar la notificación o publicación del acto administrativo, o en que se produzca la estimación o la desestimación por silencio administrativo. [Importante: Al referirnos al silencio administrativo, veremos que el *dies a quo* del plazo de que dispone la Administración para resolver un procedimiento administrativo se determina de manera distinta].
DIES AD QUEM (DÍA FINAL DEL CÓMPUTO)	Cuando el último día del plazo sea inhábil, se entiende prorrogado al primer día hábil siguiente. [La impugnación de una desestimación por silencio en vía administrativa o judicial se sujeta a una especificidad en relación con el *dies ad quem*, puesto que no se establece plazo: el recurso podrá interponerse *en cualquier momento* a partir del día siguiente a aquel en que se haya producido dicha desestimación presunta. La LPACAP ha incorporado una consolidada jurisprudencia (por todas, la STC 52/2014, de 10 de abril) que señala que no existe plazo para accionar judicialmente contra la desestimación por silencio de un recurso administrativo, anulando de este modo la virtualidad del art. 46.1 LJCA, que fija un plazo de seis meses para recurrir contra los "actos" presuntos].

PLAZOS SEÑALADOS POR ...	HORAS	• Los plazos expresados por horas se cuentan de hora en hora y de minuto en minuto desde la hora y minuto en que tenga lugar la notificación o publicación del acto de que se trate. • Estos plazos no podrán tener una duración superior a veinticuatro horas, en cuyo caso se expresarán en días.
	DÍAS	• Como regla general, siempre que por Ley o en el Derecho de la Unión Europea no se exprese otro cómputo, cuando los plazos se señalen por días, se entiende que se trata de días hábiles. En consecuencia, se excluyen del cómputo los sábados, los domingos y los declarados festivos, por ser días inhábiles. • Cuando una ley o el Derecho de la Unión Europea señalen plazos por días naturales, esta circunstancia deberá hacerse constar en las notificaciones correspondientes. • La Administración General del Estado y las Administraciones de las Comunidades Autónomas, con sujeción al calendario laboral oficial, fijarán, en su respectivo ámbito territorial, el calendario de días inhábiles a efectos de cómputos de plazos. El calendario aprobado por las Comunidades Autónomas comprenderá asimismo los días inhábiles de las entidades locales. Dicho calendario deberá publicarse antes del comienzo de cada año en el diario oficial que corresponda, así como en otros medios de difusión que garanticen su conocimiento generalizado. • No obstante lo anterior, dado que existen interesados que están obligados a relacionarse electrónicamente con la Administración (art. 14 LPACAP) y otros optan voluntariamente por esta metodología, a efectos del cómputo de plazos en los registros electrónicos, la sede electrónica del registro de cada Administración determinará los días que se considerarán inhábiles. Este será el único calendario de días inhábiles que se aplicará a los procedimientos que se sustancien en los registros electrónicos. • Cuando un día sea hábil en el municipio o Comunidad Autónoma en que resida el interesado, e inhábil en la sede del órgano administrativo, o a la inversa, se considerará inhábil en todo caso. Con una excepción: si el procedimiento se tramita electrónicamente, deberá estarse a lo dispuesto en la sede electrónica del registro de cada Administración Pública, que será quien determinará el carácter hábil o inhábil del día en cuestión.

| PLAZOS SEÑALADOS POR ... | DÍAS (cont.) | • Puesto que el registro electrónico permite la presentación de documentos todos los días del año durante las 24 horas del día, la presentación en un día inhábil se entenderá realizada en la primera hora del primer día hábil siguiente salvo que una norma permita expresamente la recepción en día inhábil. Los documentos se considerarán presentados por el orden de hora efectiva en el que lo fueron en el día inhábil. Dichos documentos se reputarán anteriores, según el mismo orden, a los presentados el primer día hábil posterior.
• La Disposición Final séptima de la LPACAP ha sido modificada para ampliar nuevamente la *vacatio legis* de determinados aspectos relacionados con la tramitación electrónica de los procedimientos. En concreto, la Disposición Final sexta del Real Decreto-ley 27/2020, de 4 de agosto, de medidas financieras de carácter extraordinario y urgente, aplicables a las entidades locales establece que, entre otras materias, las disposiciones relativas al registro electrónico producirán efecto a partir del 2 de abril de 2021. |
| | MESES O AÑOS | • Los plazos se cuentan por meses o años enteros, sin tomar en consideración los días que los compongan ni la existencia de días inhábiles.
• Si bien, como se ha apuntado, el plazo se computa a partir del día siguiente a aquel en que tenga lugar la notificación o publicación del acto de que se trate (o en que se produzca la estimación o desestimación por silencio administrativo), este plazo concluye *el mismo día* en que se produjo la notificación, publicación o silencio administrativo en el mes o el año de vencimiento. Es decir, que termina el día que coincide con el ordinal anterior al que comienza (esto es, el día de la notificación). De esta manera, si al Sr. José Pérez se le notifica una resolución de denegación de licencia el día 23 de enero y dispone de un mes para interponer recurso potestativo de reposición, el *dies a quo* del plazo de interposición será el 24 de enero y finalizará el 23 de febrero. Como ha establecido el Tribunal Supremo: *"Cuando se trata de plazos de meses (o años) el cómputo ha de hacerse según el art. 5 del Código Civil, de fecha a fecha, para lo cual, aun cuando se inicie al día siguiente de la notificación o publicación del acto o disposición, el plazo concluye el día correlativo a tal notificación o publicación en el mes (o año) de que se trate. El sistema unifi-cado y general de cómputos así establecido resulta el más apropiado para garantizar el principio de se-guridad jurídica"* (SSTS de 8 de marzo de 2006 y de 25 de abril de 2017).
• Si en el mes de vencimiento no hubiera día equivalente a aquel en que comienza el cómputo, se entenderá que el plazo expira el último día del mes. |

AMPLIACIÓN DE PLAZOS EN LA TRAMITACIÓN DEL PROCEDIMIENTO	• A diferencia del principio general de improrrogabilidad de los plazos procesales (art. 134 LEC), el art. 32 LPACAP dispone que, antes del vencimiento de los plazos establecidos en el procedimiento, la Administración puede acordar una ampliación que no exceda de la mitad de los mismos, de oficio o a petición del interesado, cuando las circunstancias lo aconsejen y no se lesionen derechos de terceros. • La adopción del acuerdo requiere motivación (art. 35.1.e LPACAP). • El acuerdo de ampliación debe ser notificado a todos los interesados.
REDUCCIÓN DE PLAZOS (TRAMITACIÓN DE URGENCIA)	• Cuando concurran razones de interés público que lo aconsejen, la Administración puede acordar, de oficio o a petición del interesado, la aplicación de la tramitación de urgencia, que implica la reducción de los plazos a la mitad, excepto los relativos a la presentación de solicitudes y recursos (art. 33 LPACAP). • La adopción del acuerdo requiere motivación (art. 35.1.e LPACAP). • Contra el acuerdo no cabe recurso, sin perjuicio del que proceda contra la resolución que ponga fin al procedimiento.

La regulación de plazos que establece la LPACAP no se limita exclusivamente a la resolución estricta del procedimiento, sino que aúna resolución y notificación como un todo inescindible (art. 21.2). En consecuencia, no es la falta de resolución dentro del plazo establecido sino *la falta de notificación en plazo de la resolución administrativa* la que abre la puerta a la aplicación de los efectos del silencio administrativo en el procedimiento. Esta figura se justifica en la necesidad de proteger a los interesados frente a la existencia de un silencio real o "no respuesta" de la Administración, de forma que se genera artificialmente un acto (en puridad, un no-acto) denominado por la doctrina "presunto", con unos efectos jurídicos que habilitan a los interesados para realizar la actuación solicitada (silencio positivo) o para interponer los recursos procedentes (silencio negativo). Más concretamente, el silencio positivo da lugar a la creación de un acto presunto (con todos los efectos jurídicos de un acto administrativo expreso); mientras que el silencio negativo únicamente habilita para abrir la vía de la impugnación.

La transposición de la Directiva de Servicios (Directiva 2006/123/CE del Parlamento Europeo y del Consejo, de 12 de diciembre de 2006 , relativa a los servicios en el mercado interior) a través del derecho interno español (esencialmente, la Ley 17/2009, de 23 de noviembre, sobre el libre acceso a las actividades de servicios y su ejercicio, y la Ley 25/2009, de 22 de diciembre, de modificación de diversas Leyes para su adaptación a la Ley sobre el libre acceso a las actividades de servicios y su ejercicio) restringió el campo de acción del silencio administrativo negativo, puesto que la normativa de la Unión Europea aboga por la aplicación generalizada del silencio positivo. El considerando 40 de la Directiva dispone lo siguiente: "En ausencia de un régimen distinto y a falta de respuesta dentro de plazo, debe considerarse que la autorización ha sido concedida. No obstante, cabe la posibilidad de aplicar regímenes distintos con respecto a determinadas actividades cuando estén justificadas objetivamente por razones imperiosas de interés general, entre ellas el interés legítimo de terceros. Dicho régimen distinto puede incluir normas de los Estados miembros conforme a las que, a falta de respuesta de la autoridad competente, se considerará denegada la solicitud, denegación que podrá recurrirse ante los tribunales." En el mismo sentido se expresa el art. 13.4 de la citada Directiva.

ESQUEMA 23. Obligación de resolver y notificar en plazo (art. 21 LPACAP)

OBLIGACIÓN DE RESOLVER Y NOTIFICAR	La Administración debe dictar resolución en todos los procedimientos, tanto los iniciados de oficio como a solicitud de interesado, y notificarla en plazo. En los supuestos de prescripción, renuncia del derecho, caducidad del procedimiento, desistimiento de la solicitud o desaparición sobrevenida del objeto del procedimiento, la resolución consistirá en la declaración de la circunstancia que concurra, con indicación de los hechos producidos y la normativa aplicable (art. 21.1 LPACAP). Se exceptúan de esta obligación: – Los supuestos de terminación convencional del procedimiento. – Los procedimientos relativos al ejercicio de derechos sometidos únicamente al deber de declaración responsable o de comunicación a la Administración.
PLAZO PARA NOTIFICAR LA RESOLUCIÓN	a) El plazo máximo para notificar la resolución debe contenerse en la norma reguladora del procedimiento sectorial correspondiente. Este plazo no podrá exceder de 6 meses, salvo que una Ley o la normativa europea establezcan uno mayor. b) Si la norma reguladora del procedimiento no fija ningún plazo máximo de notificación, éste será de 3 meses. En los procedimientos iniciados de oficio, los plazos se cuentan desde la fecha del acuerdo de iniciación. En los iniciados a solicitud del interesado, desde la fecha en que la solicitud haya tenido entrada en el registro electrónico de la Administración u Organismo competente para su tramitación (arts. 21.2 y 31.2.c LPACAP).

DEBER DE INFORMACIÓN SOBRE PLAZOS	La Administración deberá informar sobre los plazos máximos para la resolución y notificación de los procedimientos, así como sobre los efectos del silencio, mediante (art. 21.4 LPACAP): – La publicación de las relaciones de procedimientos, que deberá mantener actualizada en el portal web. – La incorporación de tales datos en la notificación de los acuerdos de iniciación de oficio o en la comunicación que dirigirá a los interesados dentro de los 10 días siguientes a la recepción de la solicitud en el registro del órgano competente para su tramitación.

El transcurso del plazo máximo legal para resolver un procedimiento y notificar la resolución puede verse afectado por una suspensión adoptada por la Administración a fin de recabar informes, obtener un previo pronunciamiento judicial, negociar un acuerdo, etc. Esta suspensión podrá tener carácter facultativo (art. 22.1 LPACAP) o preceptivo (art. 22.2 LPACAP). Es importante destacar que la suspensión no implica un reinicio del plazo máximo para resolver y notificar sino su reanudación, de tal forma que, una vez levantada la suspensión, el plazo no empezará a correr desde cero sino que se computará únicamente el tiempo no "gastado" en el momento de acordarse dicha suspensión.

ESQUEMA 24. Suspensión y ampliación de plazos para resolver y notificar (arts. 22-23 LPACAP)

SUSPENSIÓN DE LOS PLAZOS PARA RESOLVER Y NOTIFICAR (ART. 22)	
SUPUESTO	PLAZO DE SUSPENSIÓN
Cuando se requiera al interesado para la subsanación de deficiencias y aportación de documentos. Suspensión potestativa.	El tiempo que medie entre la notificación del requerimiento y su efectivo cumplimiento por el interesado o, en su defecto, el transcurso del plazo concedido.
Cuando deba obtenerse un pronunciamiento previo y preceptivo de un órgano de la Unión Europea. Suspensión potestativa.	El tiempo que medie entre la petición, que habrá de comunicarse a los interesados, y la notificación del pronunciamiento a la Administración instructora, que también deberá comunicarse.

SUSPENSIÓN DE LOS PLAZOS PARA RESOLVER Y NOTIFICAR (ART. 22)	
SUPUESTO	**PLAZO DE SUSPENSIÓN**
Cuando exista un procedimiento no finalizado en el ámbito de la Unión Europea que condicione directamente el contenido de la resolución de que se trate. Suspensión potestativa.	El tiempo que transcurra desde que se tenga constancia de la existencia del procedimiento, lo que deberá ser comunicado a los interesados, hasta que se resuelva, lo que también habrá de ser notificado.
Cuando se soliciten informes preceptivos a un órgano de la misma o diferente administración pública. Suspensión potestativa.	El tiempo que transcurra entre la petición y la recepción del informe, que deberán ser comunicadas a los interesados. Este período no puede exceder de 3 meses. En caso de no recibirse el informe en el plazo indicado, proseguirá el procedimiento.
Cuando deban realizarse pruebas técnicas o análisis contradictorios propuestos por los interesados. Suspensión potestativa.	Durante el tiempo necesario para la incorporación de los resultados al expediente.
Cuando se inicien negociaciones para concluir un pacto o convenio. Suspensión potestativa.	El tiempo que transcurra desde la declaración formal al respecto hasta la conclusión, sin éxito, de las negociaciones.
Cuando para la resolución del procedimiento sea indispensable la obtención de un previo pronunciamiento por parte de un órgano jurisdiccional. Suspensión potestativa.	Desde el momento en que se solicita, lo que habrá de comunicarse a los interesados, hasta que la Administración tenga constancia del mismo, lo que también deberá serles comunicado.
Cuando una Administración Pública requiera a otra para que anule o revise un acto que entienda que es ilegal y que constituya la base para el que la primera haya de dictar en el ámbito de sus competencias, en el supuesto al que se refiere el art. 39.5 LPACAP. Suspensión preceptiva.	Desde que se realiza el requerimiento hasta que se atienda o se resuelva el recurso interpuesto ante la jurisdicción contencioso-administrativa. Deberá ser comunicado a los interesados tanto la realización del requerimiento, como su cumplimiento o, en su caso, la resolución del correspondiente recurso contencioso-administrativo.

SUSPENSIÓN DE LOS PLAZOS PARA RESOLVER Y NOTIFICAR (ART. 22)	
SUPUESTO	**PLAZO DE SUSPENSIÓN**
Cuando el órgano competente para resolver decida realizar alguna actuación complementaria de las previstas en el art. 87 LPACAP. Suspensión preceptiva.	Desde el momento en que se notifique a los interesados el acuerdo motivado del inicio de las actuaciones hasta que se produzca su terminación.
Cuando los interesados promuevan la recusación en cualquier momento de la tramitación de un procedimiento. Suspensión preceptiva.	Desde que se plantee la recusación hasta que sea resuelta por el superior jerárquico del recusado.

AMPLIACIÓN DE LOS PLAZOS PARA RESOLVER Y NOTIFICAR	La ampliación se puede acordar, con carácter excepcional, por un plazo no superior al establecido para la tramitación del procedimiento. El acuerdo que resuelva la ampliación de plazos deberá motivar de forma palmaria las circunstancias concurrentes. Debido a su carácter excepcional, la ampliación sólo debe tener lugar una vez agotados todos los medios a disposición disponibles. Este acuerdo no puede ser objeto de recurso (art. 23 LPACAP).

2.2.3. Resolución presunta

La ausencia de notificación en plazo del acto administrativo expreso que pone al fin al procedimiento, activa la aplicación de la técnica del "silencio administrativo", que puede ser positivo (presupone el reconocimiento o estimación de la solicitud realizada por el interesado generándose un verdadero acto administrativo finalizador del procedimiento) o negativo (presupone la denegación de dicha solicitud, habilitando al interesado para interponer el recurso administrativo o contencioso-administrativo correspondiente). Esta cuestión se encuentra regulada en los arts. 24 y 25 LPACAP. Como hemos apuntado *supra*, únicamente el silencio positivo que se activa tras el vencimiento del plazo sin que se haya notificado resolución expresa alguna puede dar lugar a una resolución presunta.

La regla general imperante en la normativa administrativa es el silencio administrativo positivo. Únicamente podrá aplicarse el silencio negativo cuando lo prevea una norma con rango de ley o una norma de Derecho de la Unión Europea o de Derecho internacional aplicable en España. Así, lo establece por ejemplo, el art. 5.2 del Decreto Legislativo 1/2010, de 3 de agosto, por el que se aprueba el texto refundido de la Ley de urbanismo de Cataluña, en cuanto que no pueden entenderse adquiridas por silencio administrativo licencias en contra de la ordenación territorial o urbanística.

Cuando el procedimiento tenga por objeto el acceso a actividades o su ejercicio, la ley que disponga el carácter desestimatorio del silencio deberá fundarse en la concurrencia de razones imperiosas de interés general.

La "razón imperiosa de interés general" es un concepto que ha sido desarrollado por la jurisprudencia del Tribunal de Justicia de la Unión Europea. A los efectos de la Directiva de servicios, se consideran razones imperiosas de interés general las siguientes: el orden público, la seguridad pública, la protección civil, la salud pública, la preservación del equilibrio financiero del régimen de seguridad social, la protección de los consumidores, de los destinatarios de servicios y de los trabajadores, las exigencias de la buena fe en las transacciones comerciales, la lucha contra el fraude, la protección del medio ambiente y del entorno urbano, la sanidad animal, la propiedad intelectual e industrial, la conservación del patrimonio histórico y artístico nacional y los objetivos de la política social y cultural. Así pues, la concurrencia de una razón imperiosa de interés general justifica la quiebra del régimen general del silencio administrativo positivo y la fijación de un régimen de silencio negativo.

ESQUEMA 25. Resolución presunta y silencio negativo (arts. 24-25 LPACAP)

TIPOS DE PROCEDIMIENTO	CÓMPUTO DE LOS PLAZOS	RESOLUCIÓN PRESUNTA - SILENCIO ADMINISTRATIVO	
Iniciados de oficio	Desde la fecha del acuerdo de iniciación	SUPUESTOS	EFECTOS DE LA FALTA DE RESOLUCIÓN Y NOTIFICACIÓN
		Procedimientos que impliquen reconocimiento o constitución de derechos o situaciones jurídicas individualizadas.	Silencio negativo.
		Procedimientos en que la Administración ejerce potestades sancionadoras o de intervención susceptibles de producir efectos desfavorables o de gravamen.	Caducidad del procedimiento.

TIPOS DE PROCEDIMIENTO (Cont.)	CÓMPUTO DE LOS PLAZOS (Cont.)	SUPUESTOS (Cont.)	EFECTOS DEL SILENCIO (Cont.)
Iniciados a solicitud del interesado	Desde la fecha de entrada de la solicitud en el registro electrónico de la Administración u Organismo competente para su tramitación (art. 21 LPACAP). El inicio del cómputo del plazo vendrá determinado por la fecha y hora de presentación en el registro electrónico. La fecha y hora efectiva de inicio del cómputo de plazos deberá ser comunicada a quien presentó el documento (art. 31.2.c LPACAP).	Regla general	Silencio positivo.
		Procedimiento relativo al ejercicio del derecho de petición (art. 29 CE).	Silencio negativo.
		Procedimientos que impliquen transferencia a favor del solicitante o de terceros de facultades relativas al dominio público o al servicio público.	Silencio negativo.
		Procedimientos que impliquen el ejercicio de actividades que puedan dañar el medio ambiente.	Silencio negativo.
		Procedimientos de responsabilidad patrimonial de las Administraciones Públicas.	Silencio negativo.
		Procedimientos de responsabilidad patrimonial de las Administraciones Públicas.	Silencio negativo.

		SUPUESTOS	EFECTOS DEL SILENCIO
		Procedimientos de impugnación de actos y disposiciones (recursos) y revisión de oficio iniciados a solicitud de los interesados.	Silencio negativo. Excepción: cuando se haya interpuesto un recurso de alzada contra la desestimación por silencio administrativo de una solicitud por el transcurso del plazo.
		En general, todos aquellos supuestos en que una norma con rango de ley o una norma de Derecho de la Unión Europea o de Derecho internacional aplicable en España establezcan el régimen de silencio negativo. Así, por ejemplo, el Anexo II de la Disposición Adicional 29ª de la Ley 14/2000, de 29 de diciembre, de medidas fiscales, administrativas y del orden social (modificado por la Ley 24/2001, de 17 de diciembre, por la Ley 62/2003, de 30 de diciembre, y por el Anexo I del Real Decreto-ley 8/2011, de 1 de julio).	Silencio negativo.

LA OBLIGACIÓN DE DICTAR RESOLUCIÓN EXPRESA POSTERIOR A LOS EFECTOS DEL SILENCIO	
Tras una estimación por silencio	La resolución expresa posterior únicamente podrá dictarse en el sentido de estimar la solicitud que ha dado lugar al procedimiento administrativo (carácter vinculante del silencio administrativo positivo). Es decir, la resolución expresa únicamente puede ser confirmatoria del acto presunto.
Tras una desestimación por silencio	La resolución expresa posterior al vencimiento se adoptará por la Administración sin vinculación al sentido del silencio, de manera que puede ser estimatoria o desestimatoria de la solicitud del interesado.

2.3. Otras causas de finalización del procedimiento

2.3.1. Imposibilidad de continuar el procedimiento por causas sobrevenidas

ESQUEMA 26. Imposibilidad de continuar el procedimiento por causas sobrevenidas (art. 84.2 LPACAP)

CAUSAS	MUERTE DEL INTERESADO	MODIFICACIÓN DE LA SITUACIÓN JURÍDICA DEL INTERESADO	REFORMAS LEGISLATIVAS	PÉRDIDA MATERIAL DEL OBJETO DEL PROCEDIMIENTO
EFECTOS	Normalmente, no produce la terminación. Excepcionalmente, extingue el procedimiento: – Cuando la actuación del interesado tenga su fundamento en derechos o intereses de carácter personal e intransmisibles a los herederos o causahabientes.	Normalmente no produce la terminación. Excepcionalmente, extingue el procedimiento: – Cuando el derecho o interés que sirve de fundamento a su actuación tuviese carácter personal e intransmisible.	Normalmente no producen la extinción del procedimiento (art. 2.3 CC: irretroactividad de las normas).	Se trata de supuestos en los que se produce la alteración, destrucción o desaparición física del objeto.

EFECTOS (cont.)	– Cuando la muerte del interesado prive de razón de ser al procedimiento (por ejemplo: selección de funcionarios públicos o procedimientos disciplinarios).	– Cuando el cambio de situación jurídica prive de justificación al procedimiento (por ejemplo, cuando la compañía aseguradora haya indemnizado a los reclamantes de una compensación por responsabilidad patrimonial de la Administración, la reclamación será desestimada. Lo mismo sucederá cuando se recurre contra los actos de aplicación de un reglamento que se declara nulo —derogación sobrevenida de la norma—, o contra actos administrativos singulares cuando circunstancias posteriores los privan de eficacia).	
PROCEDIMIENTO	En todos los casos, la terminación no es automática, sino que deberá dictarse resolución motivada declarando extinguido el procedimiento (art. 84.2 LPACAP). La resolución consistirá en la declaración de la circunstancia que concurra en cada caso, con indicación de los hechos producidos y las normas aplicables.		

2.3.2. *Finalización del procedimiento por desistimiento o renuncia*

Esquema 27. **Finalización del procedimiento por desistimiento o renuncia (arts. 93-94 LPACAP)**

	DESISTIMIENTO	RENUNCIA
CONCEPTO	Produce la extinción del procedimiento administrativo, por abandono de la pretensión.	Produce la extinción del procedimiento administrativo, por abandono del derecho.
SUJETOS AFECTADOS	– Si existiese un solo interesado: el desistimiento o la renuncia supondrán la conclusión del procedimiento. – Si existiesen diversos interesados en el procedimiento: el desistimiento o la renuncia solo afectarán a quienes hayan formulado la correspondiente solicitud (art. 94.2 LPACAP).	

OBJETO	Para que pueda dar lugar a la terminación del procedimiento, debe ser total.	Se permite la renuncia al derecho, cuando no esté prohibido por el ordenamiento.
PLAZO	En cualquier momento previo a la decisión sobre el fondo.	
PROCEDIMIENTO	El interesado desiste o renuncia por cualquier medio que permita su constancia. – La Administración aceptará de plano el desistimiento o renuncia y declarará concluso el procedimiento.	
EXCEPCIONES A LA TERMINACIÓN DEL PROCEDIMIENTO	– Personación de otros interesados que instan la continuación del procedimiento. – Si la cuestión que ha iniciado el procedimiento entraña interés general. – Si el derecho tiene carácter irrenunciable.	
EFECTOS	Tiene una eficacia puramente procesal y no impide que el derecho se pueda hacer valer en un procedimiento posterior.	Tiene eficacia inmediata sobre el derecho mismo y sólo indirectamente afecta al procedimiento.

2.3.3. Finalización del procedimiento por caducidad

Es otra de las formas de finalizar el procedimiento, que la ley define de la forma siguiente (art. 95 LPACAP): "En los procedimientos iniciados a solicitud del interesado, cuando se produzca su paralización por causa imputable al mismo, la Administración le advertirá que transcurridos tres meses, se producirá la caducidad del procedimiento".

Se trata de una consecuencia de cierto contenido sancionador que precisa, en todo caso, un requerimiento administrativo previo dirigido al interesado con el objetivo de que abandone su pasividad y realice las actuaciones necesarias para que continúe el procedimiento. Asimismo, la jurisprudencia ha exigido que la caducidad sea interpretada con carácter restrictivo (STS de 3 de octubre de 1986). Por ello, si los trámites que se le requieren al interesado no fueran indispensables para dictar la resolución, no se producirá la caducidad sino únicamente la pérdida del derecho al trámite que corresponda. Igualmente, la caducidad no produce ningún efecto cuando la cuestión suscitada afecte al interés general o cuando fuera conveniente sustanciarla para su definición y esclarecimiento.

Existen determinados supuestos en los que la caducidad se puede producir por inactividad de la Administración. Concretamente, en los procedimientos iniciados de oficio en los que la Administración ejerce potestades sancionadoras o, en general, de intervención, susceptibles de producir efectos desfavorables o de gravamen cuando no se haya dictado y notificado resolución expresa en plazo (art. 21.2 LPACAP). En estos casos, no se requiere que la Administración realice ningún apercibimiento al particular, sin perjuicio de la necesaria declaración expresa de caducidad.

La caducidad se produce *ope legis* por el transcurso del plazo. *"Esta forma de extinción del procedimiento que supone la caducidad se produce, por tanto, por el mero transcurso del tiempo y como proyección de la seguridad jurídica, cuando se han rebasado los plazos establecidos para dictar la resolución que ponga fin al procedimiento administrativo"* (STS de 28 de junio de 2013). No obstante, la LPACAP exige un acto formal declarativo de la concurrencia de esta circunstancia.

La caducidad no produce por si sola la prescripción de las acciones del particular o de la Administración. Por tanto, si el derecho no ha prescrito por extinción del plazo correspondiente, se podrá promover un nuevo procedimiento para el ejercicio del derecho en cuestión. Una novedad importante en este supuesto de inicio de un nuevo procedimiento es que podrán incorporarse al mismo los actos y trámites cuyo contenido se hubiera mantenido igual de no producirse la caducidad.

ESQUEMA 28. La caducidad (art. 95 LPACAP)

LA CADUCIDAD	
CONCEPTO	Forma de extinción del procedimiento administrativo. Tiene lugar por paralización del mismo durante un cierto tiempo establecido en la ley. Sus requisitos y efectos difieren según si el responsable de la paralización es el interesado o la Administración.
NATURALEZA	La caducidad del procedimiento se distingue de figuras afines, como la caducidad de derechos o la prescripción, por cuanto es la actividad vinculada a la solicitud del interesado la que se extingue y ésta acarrea la extinción de todo el procedimiento.
FUNDAMENTO	La presunta voluntad de los interesados de abandonar el procedimiento y la necesidad de evitar que éste se prolongue indefinidamente por razones de seguridad jurídica.

ESQUEMA **29. Clases de caducidad (arts. 24, 25 y 95 LPACAP)**

Los trámites procedimentales difieren en función de si paralización del procedimiento que da lugar a la caducidad es imputable al interesado, que no realiza las actuaciones necesarias que permiten reanudar la tramitación, o a la propia Administración.

CLASES	POR HECHO IMPUTABLE AL INTERESADO (art. 95 LPACAP)	POR HECHO IMPUTABLE A LA ADMINISTRACIÓN (arts. 24.4 y 25.1 LPACAP)
PROCEDIMIENTO	Procedimiento iniciado a solicitud del interesado + Paralización por causa imputable al interesado + Requerimiento de la Administración + Persistencia de la inactividad del interesado durante 3 meses desde el requerimiento Declaración expresa de la caducidad con archivo de actuaciones y notificación al interesado – En procedimientos iniciados de oficio (sancionador, etc.): se interrumpe el cómputo del plazo para resolver y notificar (art. 25.2 LPACAP).	Procedimiento iniciado de oficio y no susceptible de producir efectos favorables para el interesado + Paralización por causa imputable a la Administración + Vencimiento del plazo máximo para resolver y notificar Declaración expresa de la caducidad con archivo de actuaciones y notificación al interesado
EFECTOS	• Se produce la terminación del procedimiento. • Contra la resolución que declare la caducidad, procederán los recursos pertinentes. • La caducidad no producirá por si sola la prescripción de las acciones del particular o de la Administración, pero los procedimientos caducados no interrumpen el plazo de prescripción (de modo que el tiempo invertido en el procedimiento caducado se resta del plazo de prescripción para el ejercicio de la acción).	

3. La notificación del acto finalizador del procedimiento

3.1. Concepto

Se trata de uno de los grandes cambios de la LPACAP, así lo destaca la Exposición de Motivos respecto de la práctica de las notificaciones: "Merecen una mención especial las novedades introducidas en materia de notificaciones electrónicas, que serán preferentes y se realizarán en la sede electrónica o en la dirección electrónica habilitada única, según corresponda. Asimismo, se incrementa la seguridad jurídica de los interesados estableciendo nuevas medidas que garanticen el conocimiento de la puesta a disposición de las notificaciones como: el envío de avisos de notificación, siempre que esto sea posible, a los dispositivos electrónicos y/o a la dirección de correo electrónico que el interesado haya comunicado, así como el acceso a sus notificaciones a través del Punto de Acceso General Electrónico de la Administración que funcionará como un portal de entrada".

Esquema 30. La notificación de la finalización del procedimiento (art. 40 LPACAP)

LA NOTIFICACIÓN DE LA FINALIZACIÓN DEL PROCEDIMIENTO	
¿QUÉ ACTOS SE DEBEN NOTIFICAR?	• Las resoluciones y actos administrativos que afecten a los derechos e intereses de los interesados. • Como regla general, los actos de trámite no se notifican, salvo: a) los que el interesado necesita conocer para ejercer sus derechos en la tramitación del procedimiento y defenderse, y b) los que deben ser objeto de notificación porque así lo dispone una norma (art. 40.1 LPACAP).

¿A QUIÉN SE DEBE NOTIFICAR?	• A los interesados en el procedimiento (arts. 4 y 40.1 LPACAP):
	  o Los que lo promuevan como titulares de derechos o intereses legítimos individuales o colectivos.
	  o Los que, sin haber iniciado el procedimiento, tengan derechos que puedan resultar afectados por la decisión que en el mismo se adopte.
	  o Aquellos cuyos intereses legítimos, individuales o colectivos, puedan resultar afectados por la resolución y se personen en el procedimiento en tanto no haya recaído resolución definitiva. Las asociaciones y organizaciones representativas de intereses económicos y sociales serán titulares de intereses legítimos colectivos en los términos que la Ley reconozca.

¿CUÁNDO SE DEBE NOTIFICAR?	• Toda notificación deberá ser cursada dentro del plazo de diez días a partir de la fecha en que el acto haya sido dictado (art. 40.2 LPACAP).
CONTENIDO DE LA NOTIFICACIÓN	• El texto íntegro de la resolución, con indicación de si se pone fin o no a la vía administrativa. • La expresión de los recursos que procedan en vía administrativa y judicial, el órgano ante el que deberán presentarse y el plazo para interponerlos (art. 40.2 LPACAP).
NOTIFICACIONES DE-FECTUOSAS	• Si la notificación es defectuosa porque falta alguno de los requisitos anteriores, el acto notificado no es eficaz y, en consecuencia, no puede desplegar sus efectos (art. 40.3 LPACAP). • La consecuencia más destacada es que no comienzan a transcurrir los plazos para interponer recursos. Pero hay que tener en cuenta que si la notificación contiene al menos el texto íntegro del acto, podrá surtir efecto a partir de la fecha en que el interesado realice actuaciones que supongan el conocimiento del contenido y alcance de la resolución o acto objeto de la notificación, o interponga cualquier recurso que proceda. • A los solos efectos de entender cumplida la obligación de notificar dentro del plazo máximo de duración de los procedimientos, será suficiente la notificación que contenga, al menos, el texto íntegro de la resolución más el intento de notificación debidamente acreditado (art. 40.4 LPACAP).

3.2. La práctica de la notificación

Esquema 31. La práctica de la notificación de la finalización del procedimiento (arts. 41 y 42 LPACAP)

PRÁCTICA DE LA NOTIFICACIÓN: FORMA Y LUGAR	
PREFERENCIA DE LA NOTIFICACIÓN ELECTRÓNICA Y EXCEPCIONES	• Las notificaciones se practicarán preferentemente por medios electrónicos. El art. 14.2 LPACAP identifica las personas que están obligadas a relacionarse electrónicamente con la Administración, lo que incluye las notificaciones electrónicas (art. 41.1 LPACAP).

PREFERENCIA DE LA NOTIFICACIÓN ELECTRÓNICA Y EXCEPCIONES (cont.)	• Se prevén los supuestos en los que la Administración Pública podrá practicar notificaciones por medios no electrónicos: a) Cuando la notificación se realice con ocasión de la comparecencia espontánea del interesado o su representante en las oficinas de asistencia en materia de registro y solicite la comunicación o notificación personal en ese momento; y b) Cuando para asegurar la eficacia de la actuación administrativa resulte necesario practicar la notificación por entrega directa de un empleado público de la Administración notificante (art. 41.1 LPACAP). • Se señalan las notificaciones que en ningún caso se efectuarán por medios electrónicos: a) Aquellas en las que el acto a notificar vaya acompañado de elementos que no sean susceptibles de conversión en formato electrónico; y b) Las que contengan medios de pago a favor de los obligados, como cheques (art. 41.2 LPACAP).
CRITERIOS GENERALES	• Medio de notificación en procedimientos iniciados a solicitud del interesado (art. 41.3 LPACAP) y en procedimientos iniciados de oficio (art. 41.4 LPACAP). • Con independencia de que la notificación se realice en papel o por medios electrónicos, las Administraciones Públicas enviarán un aviso al dispositivo electrónico y/o a la dirección de correo electrónico que el interesado les haya comunicado, informándole de la puesta a disposición de una notificación en la sede electrónica de la Administración u Organismo correspondiente o en la dirección electrónica habilitada única. La no realización de este aviso no impedirá que la notificación sea considerada plenamente válida (arts. 41.6 LPACAP y 43 del RD 203/2021, de 30 de marzo, por el que se aprueba el Reglamento de actuación y funcionamiento del sector público por medios electrónicos). • Cuando el interesado sea notificado por distintos cauces, se tomará como fecha de notificación la que se hubiera producido en primer lugar (art. 41.7 LPACAP). • Si el interesado rechaza la notificación, esta circunstancia se hará constar en el expediente, especificándose las circunstancias del intento de notificación y el medio. El trámite se dará por efectuado y se proseguirá el procedimiento (art. 41.5 LPACAP).
PRÁCTICA DE LA NOTIFICACIÓN EN SOPORTE PAPEL	• Las notificaciones presenciales mediante documento en soporte papel también se pondrán a disposición del interesado en la sede electrónica de la Administración u Organismo actuante (art. 42.1 LPACAP). • Si el interesado no se halla presente en el domicilio (o lugar a efectos de notificación) podrá hacerse cargo de la misma cualquier persona mayor de 14 años que se encuentre en dicho domicilio y haga constar su identidad (art. 42.2 LPACAP). La Ley no ha recogido el elenco completo de requisitos que la jurisprudencia venía exigiendo para considerar efectuada una notificación a los interesados en relación con el requisito de la capacidad, en el caso de que sea otra persona distinta del interesado quien se haga cargo de la misma.

PRÁCTICA DE LA NO-TIFICACIÓN EN SO-PORTE PAPEL (cont.)	• En caso de que el primer intento de notificación no llegue a buen puerto debido a que nadie se haga cargo de la misma, se hará constar dicha circunstancia en el expediente, especificando día y hora en la que se intentó la notificación. Se realizará un segundo intento dentro de los 3 días siguientes y en hora distinta (antes o después de las 15:00 horas, y viceversa) y dejando en todo caso al menos un margen de diferencia de tres horas entre ambos intentos de notificación.
IMPULSO DE LA NOTI-FICACIÓN ELECTRÓ-NICA	• Cuando el interesado acceda al contenido de la notificación en sede electrónica, se le ofrecerá la posibilidad de que el resto de notificaciones le sean practicadas a través de medios electrónicos (art. 42.3 LPACAP).
EN CASO DE NOTIFI-CACIÓN INFRUCTUOSA	• La notificación se practicará por medio de un anuncio publicado en el BOE en los siguientes supuestos (art. 44 LPACAP): ○ Cuando, intentada la notificación, ésta no se hubiese podido practicar. ○ Cuando los interesados en un procedimiento sean desconocidos. ○ Cuando se ignore el lugar de la notificación. • Previamente a la publicación del anuncio, y con carácter facultativo, las Administraciones podrán publicar un anuncio en el boletín oficial de la Comunidad Autónoma o de la Provincia, en el tablón de edictos del Ayuntamiento del último domicilio del interesado o del Consulado o Sección Consular de la Embajada correspondiente. • Las Administraciones podrán establecer otras formas de notificación complementarias a través de los restantes medios de difusión, que no excluirán la obligación de publicar el correspondiente anuncio en el BOE.

3.3. La notificación por medios electrónicos

Esquema 32. La práctica de la notificación por medios electrónicos (art. 43 LPACAP)

El art. 14.2 LPACAP especifica los sujetos obligados a relacionarse con la Administración por medios electrónicos y, por lo tanto, a recibir las notificaciones por este medio. El resto de sujetos gozan, en principio, de libertad de elección, aunque se deja abierta la puerta a establecer nuevos obligados por vía reglamentaria. No obstante, aquellos que opten por la tramitación en papel, podrán cambiar al soporte electrónico en cualquier momento y esa elección vinculará a la Administración, que estará obligada a utilizar el medio elegido por el interesado.

LA PRÁCTICA DE LA NOTIFICACIÓN POR MEDIOS ELECTRÓNICOS (ART. 43 LPACAP)	
	• Las notificaciones por medios electrónicos se practican mediante comparecencia en la sede electrónica de la Administración u Organismo actuante, a través de la dirección electrónica habilitada única o mediante ambos sistemas, según disponga cada Administración u Organismo. De conformidad con el art. 42 del RD 203/2021, de 30 de marzo, por el que se aprueba el Reglamento de actuación y funcionamiento del sector público por medios electrónicos, debe quedar constancia de la fecha y hora del acceso al contenido de la notificación o bien de su rechazo y, a estos efectos, se pondrá a disposición del interesado un acuse de recibo. En caso de que la notificación se practique por ambos sistemas, para el cómputo de plazos se tomará en consideración la fecha y hora de acceso o de rechazo en el sistema en el que haya ocurrido en primer lugar. Vid. arts. 44 y 45 del RD 203/2021, en relación con la notificación a través de la dirección electrónica habilitada única o mediante puesta a disposición en la sede electrónica de la Administración u Organismo actuante.
	• La obligación de la Administración de notificar dentro del plazo máximo de los procedimientos a la que se refiere el art. 40.4 LPACAP se entiende cumplida con la puesta a disposición de la notificación en la sede electrónica de la Administración u Organismo actuante o en la dirección electrónica habilitada única.
	• Se entiende por comparecencia en la sede electrónica, el acceso por el interesado (o su representante debidamente identificado) al contenido de la notificación.
	• Las notificaciones por medios electrónicos se entienden practicadas en el momento en que se produce el acceso a su contenido.
	• Cuando la notificación por medios electrónicos sea de carácter obligatorio, o haya sido expresamente elegida por el interesado, se considera rechazada si han transcurrido diez días naturales desde la puesta a disposición de la misma sin que se acceda a su contenido.
	• Los interesados pueden acceder a las notificaciones desde el Punto de Acceso General electrónico de la Administración, que funcionará como un portal de acceso.
EXCEPCIONES	No se notificará por medios electrónicos (art. 41, apartados 1 y 2, LPACAP): – Cuando la notificación se realice con ocasión de la comparecencia espontánea del interesado o su representante en las oficinas de asistencia en materia de registro y solicite la comunicación o notificación personal en ese momento. – Cuando para asegurar la eficacia de la actuación administrativa resulte necesario practicar la notificación por entrega directa de un empleado público de la Administración notificante. – Cuando el acto a notificar vaya acompañado de elementos que no sean susceptibles de conversión en soporte electrónico. – Cuando la notificación contenga medios de pago a favor de los obligados.

4. LA PUBLICACIÓN DEL ACTO FINALIZADOR DEL PROCEDIMIENTO

ESQUEMA 33. La publicación de la finalización del procedimiento (art. 45 LPACAP)

LA PUBLICACIÓN (ART. 45 LPACAP)	
CONCEPTO	• Los actos administrativos serán objeto de publicación cuando así lo establezcan las normas reguladoras de cada procedimiento o cuando lo aconsejen razones de interés público apreciadas por el órgano competente.
SUPUESTOS	• Los actos administrativos serán objeto de publicación, teniendo ésta los efectos de la notificación, en los casos siguientes (art. 45.1 LPACAP): o Cuando el acto tenga como destinatario a una pluralidad indeterminada de personas o cuando la Administración estime que la notificación efectuada a un solo interesado es insuficiente para garantizar la notificación a todos, siendo, en este último caso, adicional a la realizada individualmente. o Cuando se trate de actos integrantes de un procedimiento selectivo o de concurrencia competitiva de cualquier tipo. En este caso, la convocatoria del procedimiento deberá indicar el medio donde se efectuarán las sucesivas publicaciones, careciendo de validez las que se realicen en lugares diferentes.
CONTENIDO	• La publicación de un acto debe contener los mismos elementos que se exigen a las notificaciones (art. 45.2, que remite al art. 40, apartados 2 y 3, LPACAP). • Respecto de los actos que contengan elementos comunes, podrán publicarse de forma conjunta los aspectos coincidentes, especificándose únicamente los aspectos individuales de cada acto.
LUGAR	• La publicación de los actos se realiza en el diario oficial que corresponda según sea la Administración emisora del acto (art. 45.3 LPACAP). • La publicación de actos y comunicaciones que, por disposición legal o reglamentaria deba practicarse en tablón de anuncios o edictos, se entiende cumplida con su publicación en el diario oficial correspondiente (art. 45.4 LPACAP).

Capítulo 4

Los medios de impugnación y los actos administrativos[*]

1. INTRODUCCIÓN - PRINCIPIOS GENERALES

La Constitución Española establece en sus artículos 103 y 106, los principios fundamentales de actuación de las administraciones públicas.

El artículo 103 de la Constitución proclama que "la Administración Pública sirve con objetividad los intereses generales y actúa de acuerdo con los principios de eficacia, jerarquía, descentralización, desconcentración y coordinación con sometimiento pleno a la ley y al Derecho".

Y el artículo 106.1 de la Constitución establece que: "Los Tribunales controlan la potestad reglamentaria y la legalidad de la actuación administrativa, así como el sometimiento de ésta a los fines que la justifican".

En garantía de estos principios constitucionales, la constitución y las leyes establecen tres tipos de salvaguarda complementarios.

El procedimiento administrativo es la primera de las garantías de la posición jurídica de los ciudadanos frente a la Administración pública, ya que supone que la actividad de la administración se debe canalizar obligatoriamente a través de unos caminos determinados como requisito mínimo para que pueda ser calificada como legítima. El procedimiento tiene además una función legitimadora y una función racionalizadora.

Los recursos administrativos contra los actos de la administración, constituyen un segundo círculo de garantías y permite que los ciudadanos reaccionen contra las actividades jurídicas que lesionen sus intereses y obtener su modificación o reforma si procede.

Corresponde finalmente a los tribunales, pronunciarse definitivamente sobre la legalidad de la actuación administrativa, revisándola y anulándola, si es disconforme con el ordenamiento jurídico.

---

[*]   Dra. MARÍA INÉS GIL CASIÓN, *Jefa de Servicio de Recursos Humanos, Organización y calidad, Ayuntamiento de Salou y Profesora Asociada de Derecho Administrativo, Universitat Rovira i Virgili.*

2. Concepto y función de los recursos administrativos

La revisión de un acto administrativo consiste en someterlo a un nuevo examen para ratificarlo, corregirlo, enmendarlo o anularlo, si es contrario a derecho STS de 26 de marzo de 1998 (Sala de lo Contencioso-Administrativo, Sección 2ª).

La LPACAP mantiene la estructura de su antecesora la Ley 30/1992 en lo que se refiere a la revisión de los actos en vía administrativa, dividiendo el Título V (antiguo Título VII en la Ley 30/1992) en dos capítulos, uno dedicado a la revisión de oficio y otro a los recursos administrativos; éste, a su vez, se divide en las mismas secciones que en la norma anterior, la primera dedicada a principios generales y las tres restantes a los distintos recursos administrativos: recurso de alzada, recurso de reposición y recurso extraordinario de revisión.

Es importante no obstante tener en cuenta que una de las principales novedades de la LPACAP ha venido constituida por la regulación de la Administración electrónica, y la obligación de algunos sujetos de relacionarse por medios electrónicos con las Administraciones Públicas. Entre otras novedades, destaca la generalización de la utilización de los medios electrónicos en el procedimiento administrativo común. Dicha generalización se concreta también como luego se verá en el derecho y obligación que tienen los interesados en algunos supuestos, de relacionarse por medios electrónicos con la Administración, también en materia de recursos. Esta obligación, se consolida con la aprobación del Real Decreto 203/2021, de 30 de marzo, por el que se aprueba el Reglamento de actuación y funcionamiento del sector público por medios Electrónicos, que desarrolla las previsiones legales en lo permitido por las mismas, persiguiendo la potenciación de los servicios digitales y que sean fácilmente utilizables y accesibles.

En este sentido, se establece la obligación para las Administraciones Públicas de contar con un registro electrónico general o, en su caso, adherirse al de la Administración General del Estado. El registro electrónico permitirá la presentación de documentos, incluidos recursos administrativos, todos los días del año durante las 24 horas, si bien la presentación de escritos en un día inhábil se entenderá realizada en la primera hora del primer día hábil siguiente[6].

---

6   La Ley 39/2015, estableció la relación electrónica como la vía principal de tramitación de los procedimientos administrativos. Para ello, se estableció la obligación de las personas jurídicas, de las entidades sin personalidad jurídica, notarios y registradores de la propiedad y mercantiles, y de los representantes de los interesados de relacionarse de manera electrónica con las administraciones. No obstante, esta obligación se demoró en relación con: el registro electrónico de apoderamientos, registro electrónico, registro de empleados públicos habilitados; punto de acceso general electrónico de la Administración y archivo único electrónico. El RDL 11/2018 modifica la disp.final 7ª de la L 39/2015 con el objeto de ampliar el plazo a 2-10-2020 con el fin de llevar a cabo el desarrollo tecnológico necesario para llevar a cabo esta actividad con las administraciones públicas.

ESQUEMA 34. Concepto y función de los recursos administrativos

CONCEPTO Y FUNCIÓN (art. 112 LPACAP)	
CONCEPTO	– Los recursos administrativos son actos de parte, por los que se impugna un acto administrativo anterior ante un órgano igualmente administrativo, dando lugar a un procedimiento de revisión.
NATURALEZA JURÍDICA	– El recurso es un acto de impugnación de un acto administrativo. – No tienen carácter de recurso las quejas, ni las reclamaciones ni las oposiciones a los actos de trámite durante la tramitación del procedimiento a los que se refiere el artículo 112.1 LPACAP.
FINALIDAD	– Proporcionar al órgano creador del acto recurrido o a su superior jerárquico la oportunidad de reconsiderar la decisión originaria que se combate. – La doctrina vino defendiendo de forma unánime que el recurso administrativo tuviera carácter potestativo. Con la antigua redacción de la LRJPAC en virtud de la Ley 4/99, se restableció el recurso de reposición con carácter potestativo, pero se mantuvo el recurso de alzada con carácter de presupuesto procesal. En el mismo sentido se regulan en la actual LPACAP.

CONSECUENCIAS (art. 119 LPACAP)	
DESESTIMACIÓN DEL RECURSO	– Si no se ha llegado a desvirtuar la fundamentación fáctica y jurídica que constituía la motivación del acuerdo impugnado.
REVOCACIÓN DEL ACTO	– Si se ha acreditado la improcedencia legal de su mantenimiento.

3. Régimen jurídico de los recursos administrativos

3.1. Regulación actual

Esquema 35. Regulación actual de los recursos administrativos

REGULACIÓN ACTUAL DE LOS RECURSOS ADMINISTRATIVOS
El régimen jurídico general de los recursos administrativos se regula en el Titulo V, Capítulo II, Sección 1a de la LPACAP.
– Los artículos 112 a 120 de la LPACAP, se ocupan de establecer los principios generales aplicables al régimen de recursos administrativos.. – Los artículos 121 y 122 de la LPACAP, regulan el recurso de alzada. – Los artículos 123 y 124 de la LPACAP, regulan el recurso potestativo de reposición. – Los artículos 125 y 126 de la LPACAP, regulan el recurso extraordinario de revisión.

3.2. Ámbito de aplicación

Esquema 36. Norma general

NORMA GENERAL (ART. 2 LRJSP)		
El régimen jurídico general de los recursos administrativos es aplicable a la totalidad de las administraciones públicas, entendiendo como tales, las enumeradas en el artículo 2 de la LRJSP.		
ADMINISTRACIÓN DEL ESTADO (149.1.1 y 149.1.18 CE)	ADMINISTRACIÓN DE LAS CCAA (STC 61/97 entre otras)	SECTOR PÚBLICO INSTITUCIONAL (Art. 2 LRJSP)
– El Estado tiene competencia exclusiva sobre el procedimiento	– Las CCAA pueden dictar normas específicas en materia de	a) Cualesquiera organismos públicos y entidades de derecho público vinculado o dependientes de las Administraciones Públicas.

| administrativo común, sin perjuicio de las especialidades derivadas de la organización propia de las CCAA.
– Esta atribución constitucional incluye la competencia para regular los recursos administrativos. | recursos administrativos para adaptar la normativa común a las especialidades derivadas de su propia organización administrativa y sectorial.
– Han de reconocer a los administrados, un mínimo común igual al previsto en el régimen jurídico general. | b) Las entidades de derecho privado vinculadas o dependientes de las Administraciones Públicas que quedarán sujetas a lo dispuesto en las normas de esta Ley que específicamente se refieran a las mismas, en particular a los principios previstos en el artículo 3, y en todo caso, cuando ejerzan potestades administrativas.
c) Las Universidades públicas que se regirán por su normativa específica y supletoriamente por las previsiones de la presente Ley. |

3.3. Clasificación de los recursos administrativos

ESQUEMA 37. Tipos de recursos administrativos

TIPOS DE RECURSOS ADMINISTRATIVOS	
La doctrina mayoritaria, clasifica los recursos en los siguientes tipos:	
RECURSOS ORDINARIOS	RECURSOS ESPECIALES
– Se interponen antes de acudir a los Tribunales. – Son los recursos administrativos típicos.	– Sólo se pueden interponer en determinados casos. – Son los que el ordenamiento jurídico prevé en materias determinadas, como los recursos en materia tributaria (112.4 LPACAP).

RECURSOS ORDINARIOS (Cont.)	
– Su finalidad es que el órgano que dictó el acto o bien su superior, conozca los posibles vicios que el recurrente alega y reconsidere su decisión. – No es la primera instancia de un recurso judicial. Lo alegado en el recurso administrativo, no vincula respecto de lo que se puede alegar ante el órgano judicial. – El recurso administrativo abre la posibilidad de una revisión del acto, que evite el recurso ante la jurisdicción contencioso administrativa, pero en el recurso judicial, si se llega a interponer, se puede plantear cualquier pretensión relacionada con el acto recurrido, sin condicionantes ni limitaciones por lo que ya se alegó en el recurso administrativo previo.	
EJEMPLOS: El recurso de alzada y reposición.	EJEMPLOS: El recurso de súplica, recursos de alzada impropios en el ámbito de la administración institucional, recursos en materia deportiva, recursos en materia electoral.

Otra clasificación posible, a la vista de la regulación que establece la LPACAP es la siguiente:

RECURSOS OBLIGATORIOS	RECURSOS POTESTATIVOS
– Deben interponerse obligatoriamente para tener acceso a la vía jurisdiccional.	– Pueden interponerse ante la administración, pero no son obligatorios para acudir a la vía jurisdiccional.
EJEMPLOS: El recurso de alzada tiene carácter de presupuesto procesal.	EJEMPLOS: El recurso de reposición tiene actualmente carácter potestativo.

4. Requisitos del recurso administrativo

La interposición de cualquier recurso administrativo da lugar al nacimiento de un deber por parte del órgano al que se dirige: dictar resolución expresa (art. 21 LPACAP).

Para que la Administración examine la cuestión de fondo que en él se plantea, es necesario que concurran una serie de circunstancias: los requisitos del recurso, que el órgano competente examinará de oficio (art. 73 LPACAP) pudiendo resultar la existencia de algún tipo de defecto:

DEFECTO SUBSANABLE	DEFECTO INSUBSANABLE
Debe darse la oportunidad al interesado de subsanar el defecto.	La resolución declarará la inadmisibilidad, sin entrar en el fondo.

Una novedad de la LPACAP es la relación de los supuestos de inadmisión de los recursos administrativos que recoge expresamente el artículo 116 de la LPACAP:

a) Ser incompetente el órgano administrativo, cuando el competente perteneciera a otra Administración Pública. En este caso, el recurso deberá remitirse al órgano competente, tal y como dispone el artículo 14.1 de la LRJSP.

b) Carecer de legitimación el recurrente.

c) Tratarse de un acto no susceptible de recurso.

d) Haber transcurrido el plazo para la interposición del recurso.

e) Carecer el recurso manifiestamente de fundamento.

No hay que olvidar no obstante, que el recurso extraordinario de revisión según regula el art. 126.1 LPACAP, tiene sus propios motivos de inadmisión, como se verá en el punto 5.3 de este capítulo.

4.1. *Requisitos formales*

ESQUEMA 38. Requisitos del recurso administrativo

REQUISITOS DEL RECURSO ADMINISTRATIVO			
FORMALES	**LUGAR**	**(121 LPACAP)**	– El acto de interposición del recurso, se presentarán en la sede del órgano competente. – Habrán de tenerse en cuenta los requisitos generales del art. 16 LPACAP. – El escrito de interposición del recurso de alzada podrá presentarse ante el órgano que dictó el acto impugnado o ante el competente para resolverlo (121.2 LPACAP). – El recurso de reposición ante el órgano que dictó el acto (123 LPACAP).
		USO DE MEDIOS ELECTRÓNICOS	– La presentación de solicitudes en el correspondiente registro electrónico de la administración competente y su admisión por éste supone tanto para la administración como para el interesado, la aceptación del procedimiento administrativo por medios electrónicos, lo cual supone para ambas partes un deber general de proseguir y finalizar el procedimiento por ese medio incluyendo los recursos administrativos que puedan interponerse. – No obstante, cuando concurran causas justificadas el interesado puede ejercer su derecho a pasar al procedimiento administrativo convencional, utilizando soporte papel, previa manifestación ante el órgano administrativo competente de la tramitación del procedimiento, en cuyo caso la posterior posibilidad de retornar al procedimiento administrativo electrónico exigirá la conformidad del citado órgano administrativo.
	TIEMPO	**(30 LPACAP)**	– El escrito de interposición del recurso deberá presentarse dentro del plazo que la ley establece, en cada caso, para el recurso de que se trate. – Para el cómputo se estará a las reglas generales del art. 30 LPACAP.
	FORMA	**(115 LPACAP)**	– Se exige la forma escrita. – El art. 115 LPACAP regula los requisitos que debe reunir el escrito de interposición del recurso (se verán en los siguientes epígrafes).

Como se ha dicho anteriormente, el cómputo del plazo para la interposición de los recursos administrativos contra actos expresos se regula en el art. 30.4 LPACAP, en el sentido siguiente: "Si el plazo se fija en meses o años, éstos se computarán a partir del día siguiente a aquel en que tenga lugar la notificación o publicación del acto de que se trate, o desde el siguiente a aquel en que se produzca la estimación o desestimación por silencio administrativo. El plazo concluirá el mismo día en que se produjo la notificación, publicación o silencio administrativo en el mes o el año de vencimiento. Si en el mes de vencimiento no hubiera día equivalente a aquel en que comienza el cómputo, se entenderá que el plazo expira el último día del mes".

De esta forma la LPACAP recoge la doctrina jurisprudencial establecida por el Tribunal Supremo que establecía que cuando los plazos se fijan en meses o años se computan de "fecha a fecha", considerándose que tales plazos concluirían en el día correlativo al de la notificación, ya que únicamente así el plazo comprenderá el mes natural, del que excedería si el plazo venciera el día correlativo al del día siguiente al de la notificación (STS 2 de enero 1987, entre otras).

4.2. *Requisitos objetivos*

ESQUEMA 39. Recursos del recurso administrativo

REQUISITOS DEL RECURSO ADMINISTRATIVO			
OBJETIVOS	ACTOS IMPUGNABLES	ACTOS ADMINISTRATIVOS (112 LPACAP-1.1 LJCA)	– Únicamente será admisible el recurso contra los actos administrativos. – Contra las disposiciones administrativas de carácter general, no caben recursos en vía administrativa. Sin perjuicio de la posibilidad de formular el llamado recurso indirecto, basado en la ilegalidad de la disposición de carácter general. – Es necesario que se trate de un acto administrativo, es decir, que sea un acto de la administración pública sujeto al derecho administrativo (dictado en ejercicio de una función administrativa). – Tal y como dispone el art. 13 del Real Decreto 203/2021, de 30 de marzo, por el que se aprueba el Reglamento de actuación y funcionamiento del sector público por medios electrónicos, debemos tener en cuenta también que la tramitación electrónica de una actuación administrativa podrá llevarse a cabo, entre otras formas, de manera automatizada de acuerdo con lo previsto en el artículo 41 de la Ley 40/2015, de 1 de octubre.

OBJETIVOS **(cont.)**	**ACTOS** **IMPUGNABLES** **(cont.)**	**REQUISITOS DEL** **ACTO. DEPENDERÁN** **DE LA NATURALEZA** **DEL RECURSO** **(121, 123, 125 LPACAP)**	– El recurso de alzada es admisible "contra las resoluciones que no pongan fin a la vía administrativa y los actos de trámite que determinen la imposibilidad de continuar un procedimiento o produzcan indefensión". – El recurso de reposición potestativo contra actos que agotan la vía administrativa. – El recurso extraordinario de revisión, contra los actos firmes en vía administrativa.
	MOTIVOS DEL RECURSO **(112, 113 LPACAP)**		– Mientras que los recursos de alzada y reposición podrán fundarse en cualquier infracción del ordenamiento jurídico determinante de invalidez (art. 47 y 48 LPACAP), el recurso extraordinario de revisión únicamente podrá fundarse en alguno de los motivos que enumera el art. 125 LPACAP.

4.3. Requisitos subjetivos

ESQUEMA 40. Requisitos del recurso administrativo

REQUISITOS DEL RECURSO ADMINISTRATIVO			
SUBJETIVOS	**COMPETENCIA** **DEL ÓRGANO** **ADMINISTRATIVO**	**ADMINISTRACIÓN** **PÚBLICA**	– El conocimiento y decisión respecto de los recursos administrativos corresponde a la misma administración a la que pertenece el órgano que dictó el acto objeto del recurso. – Únicamente cuando se trate de actos dictados por órganos de la administración institucional, puede preverse en la normativa que los regule, la posibilidad de recurso ante la administración territorial de que dependan.
		ÓRGANO **ADMINISTRATIVO**	– Dentro de la Administración pública, el recurso deberá dirigirse al órgano que, en cada caso, corresponda. En el supuesto de que el recurso se interpusiere ante órgano que careciera de competencia, se estará a lo que dispone el art. 14.1 LRJSP.

SUBJETIVOS (cont.)	COMPETENCIA DEL ÓRGANO ADMINISTRATIVO (cont.)	RECURSO PER SALTUM (112 LPACAP)	– Los recursos contra un acto administrativo que se funden únicamente en la ilegalidad de alguna disposición administrativa de carácter general, podrán interponerse directamente ante el órgano que dictó dicha disposición. – La resolución del recurso indirecto contra la disposición general no puede pronunciarse sobre la validez del acto.
	INTERESADOS	LEGITIMACIÓN (112.1 en relación a 4.1 LPACAP)	– Los recursos podrán interponerse por los interesados. – No es necesario que los interesados hayan comparecido en el procedimiento en que se dictó el acto objeto de recurso. – Estarán legitimados los titulares de derechos o intereses legítimos, individuales o colectivos que pudieran resultar afectados por el acto.
		CRITERIOS PARA DETERMINAR LA LEGITIMACIÓN	– Hay que distinguir en primer lugar, los casos de acción pública. Se puede ver por ejemplo el caso contemplado en el art. 62 Real Decreto Legislativo 7/2015, de 30 de octubre, por el que se aprueba el texto refundido de la Ley de Suelo y Rehabilitación Urbana. – No es necesario que la legitimación venga dada en función de la titularidad de una relación jurídica, basta ostentar un interés legítimo individual o colectivo (art. 4.1 a) y c) LPACAP).
		LITIGIOS ENTRE ADMINISTRACIONES PÚBLICAS	– Los litigios entre Administraciones públicas tienen una serie de especialidades procesales, siendo la principal la posibilidad de que, antes de interponer un recurso contencioso-administrativo frente a la actuación de otra Administración, se pueda formular un requerimiento a efectos de que reconsidere su actuación, y así evitar el litigio. – Este requerimiento tiene un régimen y unos plazos propios distintos de los establecidos para los recursos administrativos, de cuya naturaleza difieren, y cuya interposición está vedada entre Administraciones públicas. Para el ámbito local se establecen en los arts. 64 y ss. LRBRL

5. Tipos de recursos y su régimen jurídico

La LPACAP, contempla y regula tres tipos de recursos: el de alzada, el de reposición y el de revisión. Los dos primeros, pueden considerarse ordinarios, y el de revisión, extraordinario.

5.1. El recurso de alzada

Esquema 41. Recurso de alzada

RECURSO DE ALZADA (121 y 122 LPACAP)		
OBJETO		Puede interponerse contra los actos administrativos que no pongan fin a la vía administrativa dictados por los órganos que tienen superior jerárquico en su propia Administración.
INTERPOSICIÓN		Ante el órgano superior —que es quien resolverá el recurso— o ante el órgano que dictó el acto recurrido. En este segundo supuesto, se deberá dar traslado al superior.
PLAZOS	**PARA INTERPONER**	Un mes si el acto recurrido es expreso. Si el acto no fuera expreso el solicitante y otros posibles interesados podrán interponer recurso de alzada en cualquier momento a partir del día siguiente a aquel en que, de acuerdo con su normativa específica, se produzcan los efectos del silencio administrativo.
	PARA RESOLVER	– El plazo para resolver es de tres meses, desde la interposición. Una vez transcurrido este plazo, se entiende desestimado. – Se exceptúa de la regla general, el supuesto de que el recurso de alzada se hubiese interpuesto contra un acto presunto desestimatorio, en este caso, una vez transcurrido el plazo, se entenderá estimado (24 LPACAP). Es importante tener en cuenta, que tal y como dispone el artículo 24.1 de la LPACAP, esta regla general se excepciona en relación con los procedimientos relativos al ejercicio del derecho de petición, aquellos cuya estimación tuviera como consecuencia que se transfirieran al solicitante o a terceros facultades relativas al dominio público o al servicio público, los que impliquen el ejercicio de actividades que puedan dañar el medio ambiente y los procedimientos de responsabilidad patrimonial de las Administraciones Públicas.

EJEMPLOS	Los actos de un director general, no agotan la vía administrativa, ya que provienen de un órgano que tiene un superior jerárquico: el ministro. En cambio, los actos de un ministro, al proceder de un órgano superior, ponen fin a la vía administrativa y no son susceptibles de recurso de alzada.

Es importante destacar que la LPAC recoge en los párrafos segundos de sus artículos 122.1 y 124.1 la jurisprudencia del Tribunal Constitucional sobre el silencio administrativo, de acuerdo con la cual el silencio administrativo negativo es simplemente una ficción legal que responde a la finalidad de que el ciudadano pueda acceder a la vía judicial, superando los efectos de inactividad de la Administración, así como las numerosas las sentencias del Tribunal Supremo reprochando a la Administración la falta de cumplimiento de su obligación legal de resolver. Desparece por tanto, la previsión de un límite temporal preclusivo para la interposición de los recursos contra actos administrativos producidos por silencio administrativo. Así, la vía del recurso permanecerá abierta mientras la Administración no cumpla con su obligación legal de resolver y notificar expresamente la resolución.

5.2. El recurso potestativo de reposición

ESQUEMA 42. Recurso potestativo de reposición

RECURSO POTESTATIVO DE REPOSICIÓN (123 y 124 LPACAP)	
OBJETO	– El recurso de reposición es el recurso administrativo cuya resolución corresponde al órgano que dictó el acto impugnado. – Su objeto son los actos que ponen fin a la vía administrativa, es decir, los dictados por los órganos de carácter superior.
INTERPOSICIÓN	– Es potestativa, estos actos pueden impugnarse directamente ante la jurisdicción contenciosa administrativa. – No obstante, el recurso de reposición es obligatorio contra actos sobre aplicación y efectividad de tributos locales, así como sobre los restantes ingresos de derecho público de las entidades locales, tales como prestaciones patrimoniales de carácter público, precios públicos, multas y sanciones pecuniarias (art. 108 LBRL y 14.2 TRLHL).

PLAZOS	PARA INTERPONER	Un mes para interponerlo si el acto es expreso. Si el acto no fuera expreso, el solicitante y otros posibles interesados podrán interponer recurso de reposición en cualquier momento a partir del día siguiente a aquel en que, de acuerdo con su normativa específica, se produzca el acto presunto.
	PARA RESOLVER	El plazo para resolverlo es de un mes.
EJEMPLOS		Normalmente los actos de las administraciones locales (alcalde, pleno, junta de gobierno en un ayuntamiento), agotan la vía administrativa, ya que ordinariamente los órganos de estas administraciones no se articulan de acuerdo a criterios jerárquicos.

5.3. *El recurso de revisión*

Esquema **43. Recurso extraordinario de revisión**

RECURSO EXTRAORDINARIO DE REVISIÓN (125 y 126 LPACAP)	
OBJETO	– El recurso de revisión es un recurso extraordinario, ya que los motivos por los que se puede interponer están rigurosamente tasados. – Se caracteriza por impugnar actos administrativos firmes, cuando por los documentos incorporados al expediente o por acaecimientos posteriores existieran dudas racionales acerca de la validez del acto.
INTERPOSICIÓN	Los motivos por los que se puede interponer son los siguientes: a) Que exista un error de hecho al dictar el acto recurrido que resulte de la documentación obrante en el expediente. b) Que aparezcan nuevos documentos de valor esencial que razonablemente pudieran haber variado la resolución recurrida. c) Que en la resolución hayan influido decisivamente documentos o testimonios declarados falsos por sentencia judicial firme. d) Que la resolución se hubiera dictado como consecuencia de prevaricación, soborno, violencia, maquinación fraudulenta o cualquier otra conducta punible así declarada en virtud de sentencia judicial firme.

PLAZOS	PARA INTERPONER	El plazo de interposición es de cuatro años en el primer caso, y de tres meses en el resto de casos, que se deben contra a partir de la resolución judicial firme que declare la falsedad, prevaricación etc.
	PARA RESOLVER	El artículo 126.3 LPACAP, establece que transcurrido el plazo de tres meses desde la interposición del recurso extraordinario de revisión sin que recaiga resolución, se entenderá desestimado.

6. DISPOSICIONES COMUNES SOBRE LOS RECURSOS ADMINISTRATIVOS

6.1. *La suspensión de la ejecución del acto objeto de impugnación*

Los efectos de la interposición del recurso respecto del acto objeto de impugnación, se regulan en el artículo 117 de la LPACAP.

La norma general es que la interposición del recurso administrativo no produce efecto alguno respecto de los pronunciamientos que se contengan en el acto impugnado y de las situaciones jurídicas que se deriven de él.

La eficacia ejecutiva del acto administrativo no queda obstaculizada por la interposición de un recurso administrativo ni judicial. El acto recurrido continuará produciendo todos sus efectos. Es importante no obstante, destacar como novedad la posibilidad de que cuando una Administración deba resolver una pluralidad de recursos administrativos que traigan causa de un mismo acto administrativo y se hubiera interpuesto un recurso judicial contra una resolución administrativa o contra el correspondiente acto presunto desestimatorio, el órgano administrativo podrá acordar la suspensión del plazo para resolver hasta que recaiga pronunciamiento judicial (art. 120 LPACAP).

Esquema **44. Excepciones a la norma general: procedimiento de suspensión de la ejecución del acto administrativo**

SUSPENSIÓN DE LA EJECUCIÓN DEL ACTO ADMINISTRATIVO (117 LPACAP)		
CASOS **(117.1 LPACAP)**		– Cuando así se acuerde por el órgano competente para resolver el recurso, de oficio o a instancia de interesado (art. 117.2 LPACAP). – Podrá acordarse la suspensión "previa ponderación suficientemente razonada entre el perjuicio que causa al interés público o a terceros la suspensión y el perjuicio que causa al recurrente como consecuencia de la eficacia inmediata del acto" (art. 117.2 LPACAP), en los casos y con los requisitos que se exponen seguidamente.
REQUISITOS **(117.2 a 117.4 de la LPACAP)**	**SUBJETIVOS**	– La competencia para acordar la suspensión es del órgano competente para resolver el recurso.
	OBJETIVOS	– Que la ejecución pudiera causar perjuicios de imposible o difícil reparación. – Que la impugnación se funde en alguna de las causas de la nulidad de pleno derecho. – Que se preste caución o garantía suficiente.
	PROCEDIMIENTO	– Iniciación: De oficio o a solicitud del recurrente. – Tramitación: El órgano competente deberá pronunciarse sobre la suspensión, previos los informes que estime pertinentes. – Resolución: La ejecución se entenderá suspendida transcurrido un mes sin resolución expresa. A destacar que el plazo para resolver sobre las solicitudes de suspensión de ejecución de actos recurridos se ha reducido ya que la anterior LRJAPAC establecía un plazo de treinta días hábiles (art. 117.3 LPACAP).
	EFECTOS	– La suspensión producirá efectos durante el tiempo en que se tramita el recurso. El art. 117.4 LPACAP prevé la posibilidad de que se extiendan los efectos de la suspensión a la vía contencioso-administrativa.

6.2. *La tramitación del recurso administrativo*

La LPACAP dedica a la instrucción del procedimiento de recurso en general el artículo 118, que regula la audiencia a los interesados. No obstante, resultan aplicables a la tramitación del recurso administrativo, las reglas generales sobre instrucción del procedimiento (art. 75 a 83 LPACAP).

ESQUEMA **45.** Tramitación del recurso administrativo

INTERPOSICIÓN (115 LPACAP)
– El recurso debe contener: la identificación del recurrente, el acto recurrido, el motivo de impugnación, lugar, fecha y firma, identificación del lugar y el medio de modificación. – El error en la calificación del recurso no es obstáculo para tramitarle si se deduce su verdadero carácter. Como novedad de la LPACAP, cabe destacar que el art. 115.2 LPACAP ha equiparado la ausencia de calificación del recurso al supuesto de error en la calificación.
ALEGACIONES (118 LPACAP)
– Si deben tenerse en cuenta hechos nuevos o documentos no recogidos en el expediente originario. – Si hubieran otros interesados. En este caso, se les dará traslado del recurso, para que en un plazo no inferior a 10 días ni superior a 15, aleguen lo que estimen pertinente. Una novedad de la LPACAP es la contenida en el art. 118 LPACAP, cuando establece expresamente que con ocasión de un recurso administrativo no se podrá solicitar la práctica de pruebas cuando su falta de realización en el procedimiento en que se dictó la resolución recurrida fuera imputable al interesado.

TERMINACIÓN		
RESOLUCIÓN (119.1 LPACAP)	**SILENCIO**	**TERMINACIÓN ANORMAL**
– El procedimiento de recurso, termina normalmente con la resolución (119 LPACAP), que decidirá acerca de la conformidad al ordenamiento del acto impugnado y en consecuencia, estimará o desestimará el recurso total o parcialmente.	– La LPACAP presume la desestimación, en el supuesto de no recaer resolución en el plazo de un mes y tres meses, según el tipo de recurso (art. 24.2, 122, 124 y 125 de la LPACAP).	– El procedimiento podrá terminar por desistimiento o renuncia (arts. 94 LPACAP).
– La resolución será motivada (35.1 b) LPACAP). – La resolución del recurso, no podrá agravar la situación inicial (119.3 LPACAP): interdicción de la *reformatio in peius*.		

EFECTOS DE LA RESOLUCIÓN DEL RECURSO
– La resolución del recurso administrativo deja abierta la posibilidad de acudir a la vía contencioso-administrativa.   – La resolución estimatoria del recurso, anulará total o parcialmente el acto (art. 119.1 LPACAP).

6.3. *La tramitación electrónica del recurso administrativo*

Una de las más importantes novedades que incorpora la LPACAP, es la obligación para el conjunto de personas jurídicas, entidades y colectivos que se relacionan en su artículo 14.2, de relacionarse electrónicamente con las Administraciones Públicas.

Este colectivo, puede ser ampliado reglamentariamente bien para determinados procedimientos, bien para la presentación de ciertos documentos electrónicamente o para la notificación por dicha vía, para aquellos colectivos de personas físicas que por razón de su capacidad económica, técnica, dedicación profesional u otros motivos quede acreditado que tienen acceso y disponibilidad de los medios electrónicos necesarios, tal y como disponen los arts. 14.3, 16.5 y 41.1 LPACAP.

Respecto de la tramitación del recurso administrativo, hay que tener en cuenta pues que estos sujetos y entidades, deberán presentar sus recursos electrónicamente.

En el caso de presentación de un recurso en papel por parte de un sujeto obligado a relacionarse electrónicamente, debemos tener en cuenta el régimen jurídico de la "subsanación electrónica", contemplado en el art. 14.1 del RD 203/2021, de 30 de marzo, que establece:

"Si existe la obligación del interesado de relacionarse a través de medios electrónicos y aquel no los hubiese utilizado, el órgano administrativo competente en el ámbito de actuación requerirá la correspondiente subsanación, advirtiendo al interesado, o en su caso su representante, que, de no ser atendido el requerimiento en el plazo de diez días, se le tendrá por desistido de su solicitud o se le podrá declarar decaído en su derecho al trámite correspondiente, previa resolución que deberá ser dictada en los términos previstos en el artículo 21 de la Ley 39/2015, de 1 de octubre".

Respecto de estas previsiones, ya ha tenido ocasión de pronunciarse el Tribunal Supremo (STS núm. 2747/2021, Sala de lo contencioso administrativo, de 1 de julio de 2021), que establece que la aplicación del régimen de la subsanación electrónica contemplado en el art. 68.4 LPACAP y sus efectos en lo referente a la fecha de presentación, se circunscribe a los supuestos de procedimientos iniciados a solicitud del interesado, quedando excluido de su órbita de aplicación los supuestos de presentación de recursos administrativos en papel por parte de sujetos obligados a relacionarse electrónicamente, y su posterior subsanación.

7. Reclamaciones previas a la vía jurisdiccional civil y laboral

Tradicionalmente, según disponía la antigua Ley 30/1992, de 26 de noviembre, de RJAPAC, se debía interponer obligatoriamente una reclamación previa en vía administrativa, para poder iniciar un proceso judicial civil o un proceso laboral siendo un ente administrativo la parte demandada. Según parte de la doctrina, las reclamaciones previas producían tres efectos, ya que impedían la interposición de la correspondiente demanda civil o laboral, condicionaban las pretensiones del demandante e interrumpían los plazos de prescripción o de caducidad de las acciones.

Con la entrada en vigor de la LPACAP, ya no es necesario interponer reclamaciones previas antes de demandar a una Administración Pública para comenzar un proceso civil o un proceso laboral. La doctrina, por su parte, se posiciona de forma favorable ante este cambio, afirmando que "bienvenido sea un privilegio menos que solo servía para retrasar negativas o para alzar motivos de inadmisibilidad en vía civil o laboral". Entendiendo que la reclamación administrativa previa era una manifestación de la autotutela administrativa reduplicativa, por la que se reforzaban las manifestaciones normales de la autotutela, y que permitía que los entes administrativos declarasen y constituyesen situaciones jurídicas a través de actos directamente ejecutables sin tener que acudir a un órgano jurisdiccional competente.

En la actual LPACAP de acuerdo con la voluntad de suprimir trámites que, lejos de constituir una ventaja para los administrados, suponían una carga que dificultaba el ejercicio de sus derechos, la Ley no contempla ya las reclamaciones previas en vía civil y laboral, debido a la escasa utilidad práctica que han demostrado hasta la fecha y que, de este modo, quedan suprimidas.

8. Otras vías de revisión de los actos administrativos: la revisión de oficio, la revocación, el recurso de lesividad y la rectificación de errores materiales

La LPACAP una vez dictado el acto administrativo, recoge dos vías para lograr la revisión, recogidas en las previsiones del Título VII, bajo la denominación de "la revisión de actos administrativos":
- La revisión de oficio.
- Los recursos administrativos.

La Ley actualmente distingue entre:
- La revisión de oficio de actos nulos de pleno derecho, declarativos de derechos o favorables (art. 106 LPACAP).
- La "declaración de lesividad" de los actos anulables que resuelven los tribunales a instancia de la administración que los dictó (art. 107 LPACAP).
- La revocación en el caso de modificación de los actos desfavorables o de gravamen, tanto por motivos de ilegalidad como de inadecuación al interés público (art. 109 LPACAP).

Actualmente, lo relevante a efectos del régimen de revisión de actos según la mayor parte de la doctrina administrativista actual, es la distinción entre actos que sean o no favorables a los interesados, de tal forma que si se trata de actos favorables, únicamente cabe la revisión en los supuestos y por los procedimientos que regulan los artículos 106 y 107 de la LPACAP. Si los actos son de gravamen o desfavorables, puede volverse sobre ellos, a fin de privarles de efectos —por razones de legalidad o de oportunidad—, sin sujeción a aquellos procedimientos formales.

8.1. *La revisión de oficio de los actos administrativos*

ESQUEMA 46. Revisión de oficio de los actos administrativos

LA REVISIÓN DE OFICIO DE LOS ACTOS ADMINISTRATIVOS (106 LPACAP)	
CONCEPTO	La revisión de oficio se fundamenta en la autotutela administrativa, como aquella parte de la actividad administrativa con la cual la Administración Pública provee a resolver los conflictos que surgen entre los sujetos con relación a sus actos o pretensiones.
OBJETO	Los actos nulos de plenos derecho (art. 47.1 LPACAP): – Los que lesionen los derechos y libertades susceptibles de amparo constitucional. – Los dictados por órgano manifiestamente incompetente por razón de la materia o del territorio. – Los que tengan un contenido imposible. – Los que sean constitutivos de infracción penal o se dicten como consecuencia de ésta. – Los dictados prescindiendo total y absolutamente del procedimiento legalmente establecido o de las normas que contienen las reglas esenciales para la formación de la voluntad de los órganos colegiados. – Los actos expresos o presuntos contrarios al ordenamiento jurídico por los que se adquieren facultades o derechos cuando se carezca de los requisitos esenciales para su adquisición. – Cualquier otro que se establezca expresamente en una disposición de rango legal.

PLAZO INTERPOSICIÓN	La revisión de oficio **puede actuar sin límite temporal**. Operan las modulaciones del artículo 106 LPACAP, destinadas a garantizar los principios de equidad, proporcionalidad y seguridad jurídica.	
INSTRUCCIÓN	**INICIO**	– Por iniciativa de la administración autora del acto – A instancias de cualquier interesado.
	AUDIENCIA	– El trámite de audiencia y vista debe concederse a todos los que ostenten la condición de interesados.
	DICTAMEN	– El artículo 106.1 de la LPACAP, exige para que la administración pueda declarar la nulidad por el procedimiento de revisión regulado en este artículo "dictamen favorable del Consejo de Estado u órgano consultivo de la comunidad autónoma, si lo hubiere".
PLAZO PARA RESOLVER	– La falta de resolución administrativa y de su notificación sobre la solicitud de revisión de oficio de un acto nulo de pleno derecho por un particular en un plazo superior a tres meses, da lugar al silencio administrativo negativo. – Cuando el inicio de la revisión se ha realizado de oficio por la propia administración, la falta de resolución administrativa y de su notificación, da lugar a la caducidad del procedimiento.	
EFECTOS	– La decisión de la administración sobre la validez del acto revisado también se puede pronunciar sobre la procedencia o improcedencia de otorgar las indemnizaciones pertinentes (arts. 32 y 34 de la LPACAP). – El acto administrativo relativo a la validez del acto revisado es siempre impugnable ante la jurisdicción contenciosa administrativa.	

8.2. *La revisión de actos anulables por la propia administración*

ESQUEMA 47. Declaración de lesividad de los actos anulables

DECLARACIÓN DE LESIVIDAD DE LOS ACTOS ANULABLES (107 LPACAP)	
CONCEPTO	– La posibilidad de anular los actos administrativos que infringieren gravemente normas de rango legal o reglamentario por la propia Administración que establecía la antigua LRJPAC, en su redacción inicial (como lo establecía el artículo 100.2 de la LPA), ha sido eliminada. Ya tras la redacción dada a la antigua LRJPAC en virtud de la ley 4/99, si la infracción del ordenamiento jurídico en que incurre el acto no es determinante de nulidad, la única vía para privarle de efectos es la procesal, mediante el procedimiento contencioso de declaración de lesividad.
NATURALEZA JURÍDICA	– El recurso de lesividad es un proceso judicial que comienza con una declaración administrativa. – En este recurso la Administración impugna sus propios actos ante los Tribunales contenciosos administrativos para que éstos los declaren no conformes al ordenamiento jurídico.
OBJETO	– El procedimiento administrativo de declaración de lesividad, tiene como objeto, los actos anulables, es decir, aquellos recogidos en el artículo 48 de la LPACAP: ✓ Los actos de la Administración que incurran en cualquier infracción del ordenamiento jurídico, incluso la desviación de poder. ✓ No obstante, el defecto de forma sólo determinará la anulabilidad cuando el acto carezca de los requisitos formales indispensables para alcanzar su fin o dé lugar a la indefensión de los interesados. ✓ La realización de actuaciones administrativas fuera del tiempo establecido para ellas sólo implicará la anulabilidad del acto cuando así lo imponga la naturaleza del término o plazo.
PROCEDIMIENTO	– El procedimiento se inicia de oficio. – Transcurrido el plazo de seis meses desde la iniciación del procedimiento sin que se hubiera declarado la lesividad se producirá la caducidad del mismo.

8.3. *La revocación*

Esquema **48.** Revocación de los actos administrativos desfavorables o de gravamen

LA REVOCACIÓN DE LOS ACTOS ADMINISTRATIVOS DESFAVORABLES O DE GRAVAMEN (109.1 de la LPACAP)	
CONCEPTO	– Las Administraciones Públicas podrán revocar en cualquier momento sus actos, expresos o presuntos, no declarativos de derechos y lo de gravamen, siempre que tal revocación no sea contraria al ordenamiento jurídico".
OBJETO	– La revocación permite a las Administraciones Públicas anular los actos que sean inadecuados para cubrir los intereses públicos y sustituirlos por otro acto de contenido diferente con una fuerza ejecutiva y ejecutoria idéntica, sin necesidad de recurrir a los tribunales de justicia. – La revocación sólo será posible en el caso de actos desfavorables para el interesado.
JUSTIFICACIÓN	– La legitimidad de la revocación se justifica por razones similares a las mencionadas en relación con la revisión de oficio: ✓ Las potestades de revocación han de ser proporcionadas a los objetivos que se conseguirán. ✓ La revocación no es pertinente cuando, por las circunstancias del caso concreto, puede ser contraria a la equidad, la buena fe, los derechos de los particulares o las leyes.
PROCEDIMIENTO	– No estamos ante un procedimiento formalizado. – Este procedimiento únicamente puede iniciarse de oficio.

8.4. *La rectificación de errores materiales*

– Como un procedimiento especial de revisión, el artículo 109.2 de la LPACAP dispone que: "Las Administraciones Públicas podrán, asimismo rectificar en cualquier momento de oficio o a instancia de los interesados los errores materiales, de hecho o aritméticos existentes en sus actos".

- No obstante, el punto de partida de la rectificación es absolutamente diferente de los anteriores, ya que en este caso se trata de un acto válido que debe ser corregido. Pero en ningún caso se trata ni de modificar la declaración de derecho que contiene el acto ni mucho menos de eliminarlo.
- La rectificación puede ser llevada a cabo tanto de oficio como a instancia del administrado.

En este sentido, la jurisprudencia ha apuntado que el trámite de audiencia de los interesados es exigible incluso cuando se trate de un error material, de hecho o aritmético (STS de 29 de septiembre de 2011 (recurso núm. 2488/2008).

Capítulo 5

Los medios alternativos de resolución de conflictos[*]

1. Introducción

La crisis del sistema de justicia administrativa y los problemas —entre otros, de efectividad— que plantea el actual sistema de recursos han puesto de manifiesto la conveniencia y oportunidad de articular, junto a los mecanismos tradicionales (recursos administrativos y judiciales), y, de forma alternativa o complementaria, nuevos métodos de resolución de controversias más rápidos y satisfactorios y menos costosos. Desde esta perspectiva, los medios alternativos de resolución de conflictos —denominados *Alternative Dispute Resolution* (ADR)—, tan relevantes y consolidados en otras ramas jurídicas y que tanto auge han adquirido —en buena medida por el impulso del Derecho de la Unión Europea—, se vislumbran como piezas esenciales del modelo de justicia administrativa a que se aspira, con el fin de dar respuesta a las necesidades de la ciudadanía.

Tradicionalmente, el Derecho administrativo se había resistido a la incorporación de estos mecanismos de solución extrajudicial de litigios administrativos, y no es hasta tiempos recientes cuando se ha abogado por su implantación. El retraso y las reticencias a su implementación se explican, por un lado, porque su implantación podría chocar con la situación de desigualdad en que se encuentran las partes de una relación jurídico-administrativa, dada la especial posición de la Administración, que goza de importantes prerrogativas y privilegios, frente a los ciudadanos; con el carácter indisponible de las potestades administrativas; y con la sujeción de la Administración al principio de legalidad y su deber de servir con objetividad los intereses generales. Por otro, también podría colisionar con la atribución constitucional de la función revisora de la actuación administrativa a los jueces y tribunales.

[*] Dra. Lucía Casado Casado, Profesora Titular de Derecho Administrativo, acreditada como Catedrática, Universitat Rovira i Virgili.

[*] Este capítulo es resultado del proyecto de I+D+i "El nuevo rol de la ciudadanía ante la justicia administrativa: la regulación y la implementación de la mediación como sistema de prevención y resolución de conflictos" (referencia PID2020-112688GB-100), financiado por MCIN/AEI/10.13039/501100011033.

Pese a ello, progresivamente, han ido superándose estos obstáculos y, actualmente, existe una clara pujanza de estos instrumentos en el ámbito jurídico administrativo, al haberse ido incorporando por el legislador a la normativa. Las transformaciones de las Administraciones públicas, las mutaciones de las estructuras administrativas y los profundos cambios en las relaciones jurídico-administrativas han llevado al impulso de estas técnicas que pueden permitir una solución rápida, menos costosa y especializada de las controversias, facilitar la cooperación y comunicación entre ciudadanos y administraciones y dar cumplimiento a los principios de buena administración, eficiencia y eficacia administrativas. Sin embargo, aunque se trata de un fenómeno innegable que tiene traducción ya en la normativa, lo cierto es que, en el ámbito del Derecho administrativo, "resulta algo más difícil de conciliar estos mecanismos con la tradicional forma de actuación de las Administraciones Públicas, caracterizadas en nuestro ordenamiento jurídico porque, en aras de la consecución de los intereses generales, actúan normalmente a través de la autotutela, es decir, mediante potestades administrativas cuyo ejercicio está encaminado a la producción de actos administrativos, que son, no lo olvidemos, en la mayor parte de los casos, declaraciones de voluntad que se presumen válidas y son eficaces desde que se dictan, de manera unilateral, por la Administración" [RAMS RAMOS, L., "Mecanismos alternativos de resolución de conflictos (ADR) en el ámbito del Derecho administrativo", en CHICO DE LA CÁMARA, P. (dir.), *Las medidas alternativas de resolución de conflictos (ADR) en las distintas esferas del ordenamiento jurídico*, 2ª edición, Tirant lo Blanch, Valencia, 2019, p. 670].

Con la incorporación de estos mecanismos, no se trata únicamente de dar soluciones a la congestión judicial, sino también de implementar técnicas que permitan dar satisfacción adecuada al interés general y que hagan que las garantías de los ciudadanos sean plenamente efectivas, construyendo la respuesta a las controversias a través del diálogo. La propia Exposición de Motivos de la LJCA señala que "el control de la legalidad de las actividades administrativas se puede y debe ejercer asimismo por otras vías complementarias de la judicial, que sería necesario perfeccionar para evitar la proliferación de recursos innecesarios y para ofrecer fórmulas poco costosas y rápidas de resolución de numerosos conflictos" (apartado I).

En este contexto, resulta necesaria la incorporación de nuevas formas de prevención y solución de controversias que ofrezcan al ciudadano una respuesta más rápida, eficiente, eficaz y satisfactoria y menos costosa, en términos de tiempo y de dinero. El recurso a fórmulas alternativas o complementarias de solución de conflictos constituye una imperiosa necesidad y una exigencia ineludible para prevenir y resolver eficazmente conflictos jurídico-administrativos, tanto en vía administrativa, como contencioso-administrativa, y agilizar la justicia, máxime si tenemos en cuenta la situación endémica de colapso de la Jurisdicción Contencioso-Administrativa. Ello implica, además de un profundo cambio de mentalidad en la forma de gestionar los conflictos entre Administraciones públicas y ciudadanos, una transformación de las propias estructuras y del ordenamiento jurídico por cuanto les involucra directamente en el proceso de resolución de la controversia y les permite una mayor intervención. Se trata de crear una relación jurídico-administrativa diferente y un modo de abordar los conflictos a través del diálogo, con la búsqueda de soluciones más satisfactorias y menos costosas para las partes. Por ello, la implantación de estos mecanismos de resolución de controversias en el ámbito del Derecho administrativo implica no sólo la incorporación de nuevas vías de prevención y resolución de conflictos, alternativas o complementarias a los tradicionales, sino también una transformación de la relación Administración-ciudadano, con la integración de los ciudadanos en la búsqueda de soluciones a los conflictos jurídicos que mantienen con la Administración.

Actualmente, la LPACAP incorpora algunas referencias en relación con los medios alternativos de resolución de conflictos. Por una parte, el artículo 86 incorpora la terminación convencional como vía de finalización del procedimiento administrativo. Por otra, el artículo 112.2 incluye la posibilidad de sustituir el recurso de alzada y el recurso de reposición, en supuestos o ámbitos sectoriales determinados y cuando la especificidad de la materia así lo justifique, por otros procedimientos de impugnación, reclamación, conciliación, mediación y arbitraje.

2. Concepto, fundamento y tipos

Esquema 49. Los medios alternativos de resolución de conflictos: aspectos generales

LOS MEDIOS ALTERNATIVOS DE RESOLUCIÓN DE CONFLICTOS: ASPECTOS GENERALES	
CONCEPTO	Los mecanismos alternativos de resolución de conflictos son aquellos medios o vías que tienen las personas afectadas por una controversia para resolver un conflicto jurídico, sin acudir a los tribunales de justicia. La utilización de estos instrumentos se está instaurando, progresivamente, en el ámbito del Derecho administrativo.
FUNDAMENTO	El principal fundamento que justifica la introducción de los mecanismos alternativos de solución de conflictos en el ámbito del Derecho administrativo es el principio de eficacia que debe presidir la actuación de las Administraciones públicas, de acuerdo con los artículos 103.1 CE y 3.1.h) LRJSP. En efecto, estos instrumentos son necesarios para conseguir una solución más rápida y eficaz de los conflictos jurídico-administrativos.

VENTAJAS	La utilización de medios alternativos de resolución de conflictos jurídico-administrativos aporta algunas ventajas importantes. Entre otras, las siguientes: – Voluntariedad. – Confidencialidad. – Favorecimiento de la comunicación entre las partes y mayor protagonismo de las mismas. – Participación ciudadana. – Eficacia. – Flexibilidad y libertad de formas. – Celeridad y sencillez de los procesos. – Ahorro económico. – Soluciones más estables, útiles y eficaces, por la adaptación de la decisión a las circunstancias del caso concreto.
TIPOS	Los medios alternativos de resolución de conflictos, en función de los sujetos que intervienen en la resolución de la controversia, pueden ser de dos tipos: – Medios de autocomposición de intereses: se caracterizan porque son las propias partes que mantienen la disputa las que llegan a la solución del conflicto, bien sin la intervención de un tercero (en los supuestos de transacción-negociación), bien con la participación de un tercero (es el caso de la conciliación y la mediación). En cualquier caso, la intervención del tercero se realiza sin conferirle la capacidad de decisión. – Medios de heterocomposición de intereses: se caracterizan por la intervención de un tercero ajeno al conflicto, libremente aceptado por las partes, que resuelve la controversia y que impone la solución adoptada a las partes, que quedan obligadas a su cumplimiento. A diferencia de lo que sucede con las fórmulas de autocomposición, como pone de manifiesto ESCARTÍN ESCUDÉ, aquí "la decisión del tercero no busca, per se, una solución intermedia que aproxime los intereses enfrentados, pudiendo adoptar una decisión que coincida plenamente con las pretensiones de una de las partes" ["Capítulo VI. Los nuevos mecanismos de control y resolución extrajudicial de conflictos en Derecho administrativo. En especial, el arbitraje administrativo", en AGUDO GONZÁLEZ, J. (dir.), *Control administrativo y justicia administrativa*, INAP, Madrid, 2016p. 181]. El arbitraje constituye un mecanismo de carácter heterocompositivo.

TIPOS	Desde otro punto de vista, en función del momento en que se plantea su utilización, los medios alternativos de resolución de conflictos pueden ser de dos tipos: – De carácter extrajudicial o preprocesal: tratan de evitar que la controversia llegue a los tribunales. Se dividen, a su vez, entre los que se desarrollan en el seno de los procedimientos administrativos (es el caso de la terminación convencional del procedimiento administrativo como vía de finalización del mismo, recogida en el art. 86 LPACAP) y los que tienen lugar una vez han finalizado éstos, como instrumento alternativo a los recursos administrativos ordinarios (es el caso de los procedimientos de conciliación, mediación y arbitraje, a que se refiere el art. 112.2 LPACAP). – De carácter judicial o procesal: la controversia ya ha llegado a los tribunales y se desarrollan dentro del propio proceso judicial en curso. Dentro de la mediación conectada con el proceso, cabe incluir tanto la mediación intrajudicial (art. 77 LJCA) como las mediaciones producidas al margen del proceso (extraprocesales), que se traducen en la extinción de éste (allanamiento —art. 75 LJCA— y desistimiento o renuncia a la acción contencioso-administrativa —art. 74 LJCA—). *Vid.* BELANDO GARÍN, B., "Capítulo VII. La mediación administrativa: Entre el derecho a una buena administración y la renovación de la justicia", en AGUDO GONZÁLEZ, J. (dir.), *Control administrativo y justicia administrativa*, INAP, Madrid, 2016, p. 213.

3. LOS MEDIOS ALTERNATIVOS DE RESOLUCIÓN DE CONFLICTOS: LOS PROCEDIMIENTOS SUSTITUTIVOS DE LOS RECURSOS DE ALZADA Y REPOSICIÓN

ESQUEMA 50. Los medios alternativos de resolución de conflictos en la LPACAP

LOS MEDIOS ALTERNATIVOS DE RESOLUCIÓN DE CONFLICTOS EN LA LPACAP	
MARCO JURÍDICO	La LPACAP incorpora referencia a los medios alternativos de resolución de conflictos en los artículos siguientes: – Artículo 86: posibilita, bajo determinadas condiciones, la terminación convencional del procedimiento administrativo, a la que ya nos hemos referido con anterioridad (véase el capítulo 3, apartado 2.1). – Artículo 112.2: incluye la posibilidad de sustituir el recurso de alzada y el recurso de reposición, en supuestos o ámbitos sectoriales determinados y cuando la especificidad de la materia así lo justifique, por otros procedimientos de impugnación, reclamación, conciliación, mediación y arbitraje. – Artículo 114.1.d): prevé que ponen fin a la vía administrativa "Los acuerdos, pactos, convenios o contratos que tengan la consideración de finalizadores del procedimiento".

REQUISITOS	La LPACAP impone una serie de requisitos o condiciones para que pueda procederse a la sustitución de los recursos de alzada y reposición por otros procedimientos de impugnación, reclamación, conciliación, mediación y arbitraje. Son los siguientes: – Existencia de una ley específica: la LPACAP no regula estos procedimientos, sino que remite a "las leyes" para que lo hagan. Por lo tanto, es necesario que las leyes sectoriales prevean esos medios alternativos de resolución de conflictos. – Necesario respeto de los principios, garantías y plazos que la LPACAP reconoce a las personas y a los interesados en todo procedimiento administrativo. Ello supone, como ponen de manifiesto GAMERO CASADO y FERNÁNDEZ RAMOS, "una congelación de las garantías de la legislación común en beneficio de los interesados" [GAMERO CASADO, E. y FERNÁNDEZ RAMOS, S. (2020). Manual básico de Derecho Administrativo, 17ª edición, Tecnos, Madrid, p. 638]. También es imprescindible que "se aplique con rigor la transparencia (el principio de luz y taquígrafos), para que los posibles terceros interesados, afectados, tengan conocimiento claro de lo que se está haciendo y de la decisión final" [TRAYTER JIMÉNEZ, J. M. (2021). Derecho Administrativo. Parte General, 6ª ed. Atelier, Barcelona, p. 462]. – La competencia para conocer de estos procedimientos sustitutivos debe recaer "ante órganos colegiados o Comisiones específicas no sometidas a instrucciones jerárquicas", tal como prevé el propio artículo 112.2 LPACAP. – En el ámbito de la Administración local, la aplicación de estos procedimientos "no podrá suponer el desconocimiento de las facultades resolutorias reconocidas a los órganos representativos electos establecidos por la Ley" (art. 112.2 LPACAP). En la misma línea, el artículo 69.2 de la LBRL prevé que "Las formas, medios y procedimientos de participación que las Corporaciones establezcan en ejercicio de su potestad de autoorganización no podrán en ningún caso menoscabar las facultades de decisión que corresponden a los órganos representativos regulados por la Ley". Por otra parte, debe tenerse en cuenta, por un lado, que la LPACAP exige la motivación, con sucinta referencia de hechos y fundamentos de derecho, de "Los actos que resuelvan procedimientos de revisión de oficio de disposiciones o actos administrativos, recursos administrativos y procedimientos de arbitraje y los que declaren su inadmisión" [art. 35.1.b)]. Por otro, que las resoluciones de estos procedimientos alternativos a que se refiere el artículo 112.2 LPACAP ponen fin a la vía administrativa [art. 114.1.b) LPACAP], por lo que dejan expedita la vía contencioso-administrativa. Ahora bien, "algunos de estos procedimientos no concluyen realmente mediante resolución, sino mediante acuerdo, como sucede con los procedimientos de conciliación" [GAMERO CASADO, E. y FERNÁNDEZ RAMOS, S. (2020). Manual básico de Derecho Administrativo, 17ª edición, Tecnos, Madrid, p. 639].

	Por último, el artículo 112.2 de la LPACAP determina expresamente que estos procedimientos de impugnación, reclamación, conciliación, mediación y arbitraje son sustitutivos de los recursos administrativos ordinarios. Por lo tanto, no pueden establecerse con carácter acumulativo o facultativo al recurso correspondiente [GAMERO CASADO, E. y FERNÁNDEZ RAMOS, S. (2020). *Manual básico de Derecho Administrativo*, 17ª edición, Tecnos, Madrid, p. 638]. Además, en el caso del recurso de reposición, este precepto dispone que, en caso de ser sustituido por alguno de los mencionados procedimientos, debe respetarse su carácter potestativo para el interesado. De la regulación del artículo 112.2 de la LPACAP se desprende que existen diversas posibilidades de procedimientos alternativos de resolución de conflictos: procedimientos de impugnación y reclamación; y procedimientos de conciliación, mediación y arbitraje.
PROCEDIMIENTOS SUSTITUTIVOS DE LOS RECURSOS ADMINISTRATIVOS ORDINARIOS	**PROCEDIMIENTOS DE IMPUGNACIÓN Y RECLAMACIÓN** La LPACAP permite que las leyes puedan sustituir los recursos administrativos ordinarios (alzada y reposición) por otros procedimientos de impugnación y reclamación. Se trata de recursos especiales por razón de la materia, previstos en determinados ámbitos sectoriales y que desplazan, en dichos ámbitos, a los recursos ordinarios. Estos recursos especiales, cuya resolución se atribuye a órganos especializados, han proliferado en los últimos años y son ya varias las normas que los incorporan. Existen varios ejemplos en que las leyes sectoriales han procedido a crear estos procedimientos de impugnación y reclamación sustitutivos. A continuación, sin ánimo de exhaustividad, se señalan algunos de ellos: – En materia de contratos del sector público, la Ley 9/2017, de 8 de noviembre, de contratos del sector público, por la que se transponen al ordenamiento jurídico español las Directivas del Parlamento Europeo y del Consejo 2014/23/UE y 2014/24/UE, de 26 de febrero de 2014, regula ampliamente el recurso especial en materia de contratación (arts. 44 a 60). Se trata de un recuso específico de carácter potestativo que podrá utilizarse en relación con los actos y decisiones recaídos en procedimientos de adjudicación de determinados contratos administrativos de gran cuantía y que será resuelto por un órgano especializado, creado con esta finalidad —a nivel estatal, el Tribunal Administrativo Central de Recursos Contractuales; y a nivel autonómico y local, el órgano equivalente creado por las comunidades autónomas, las diputaciones provinciales, los cabildos y consejos insulares y los municipios de gran población—.

- En materia de acceso a la información pública, la Ley 19/2013, de 9 de diciembre, de transparencia, acceso a la información pública y buen gobierno regula, en sus artículos 23 y 24, la reclamación ante el Consejo de Transparencia y Buen Gobierno —también prevista en las leyes autonómicas reguladoras de la transparencia—, que tiene la consideración de sustitutiva de los recursos administrativos. Se trata de una reclamación que puede interponerse frente a toda resolución expresa o presunta en materia de acceso a la información pública, con carácter potestativo y previo a su impugnación en vía contencioso-administrativa.
- En materia de garantía de la unidad de mercado, la Ley 20/2013, de 9 de diciembre, de garantía de la unidad de mercado, establece, en su artículo 26, una reclamación especial, que tiene carácter alternativo a los recursos administrativos y que podrán utilizar los operadores económicos que entiendan que se han vulnerado sus derechos o intereses legítimos por alguna disposición de carácter general, acto, actuación, inactividad o vía de hecho que pueda ser incompatible con la libertad de establecimiento o de circulación.
- En materia tributaria, la Ley 58/2003, de 17 de diciembre, General Tributaria (arts. 226 a 249) regula las reclamaciones económico-administrativas, cuyo conocimiento corresponde con exclusividad a los órganos económico-administrativos, que actúan con independencia funcional en el ejercicio de sus competencias —en el ámbito de competencias del Estado, el Tribunal Económico-Administrativo Central y los tribunales económico-administrativos regionales y locales—. La propia LPACAP prevé, en su artículo 112.4, que "Las reclamaciones económico-administrativas se ajustarán a los procedimientos establecidos por su legislación específica".
- En el ámbito deportivo, la Ley Orgánica 11/2021, de 28 de diciembre, de lucha contra el dopaje en el deporte, prevé un recurso administrativo especial. De acuerdo con el artículo 47.2 de esta Ley, el Comité Sancionador Antidopaje conocerá del recurso administrativo especial que se interponga contra las siguientes resoluciones:
  a) Las dictadas por el instructor acordando el archivo de cualquier procedimiento sancionador seguido por infracción de las normas previstas en esta ley, bien por motivos formales o por causas de fondo.
  b) Las que acuerden o desestimen una suspensión provisional de las licencias federativas.
  c) Las relativas a las autorizaciones de uso terapéutico.
  d) Las decisiones de la Agencia Estatal Comisión Española para la Lucha Antidopaje en el Deporte de reconocer o no reconocer la decisión de otra organización antidopaje, de acuerdo con lo previsto en el apartado 2 del artículo 30 de esta ley.

e) Las resoluciones que decidan sobre la suspensión de las sanciones impuestas, así como el reintegro o no reintegro de los periodos suspendidos, en los casos previstos en el artículo 34 de esta ley.

f) Los actos de trámite dictados en los procedimientos anteriores, cuando decidan directa o indirectamente el fondo del asunto, determinen la imposibilidad de continuar el procedimiento o causen indefensión o perjuicio irreparable para los derechos e intereses legítimos de los afectados.

– La Ley 35/1995, de 11 de diciembre, de ayudas y asistencia a las víctimas de delitos violentos y contra la libertad sexual, prevé, en su artículo 8, un procedimiento de impugnación sustitutivo de los recursos administrativos ordinarios para las resoluciones y actos de trámite que determinen la imposibilidad de continuar el procedimiento o produzcan indefensión, ante la Comisión Nacional de Ayuda y Asistencia a las Víctimas de Delitos Violentos y contra la Libertad Sexual, creada por el artículo 11 de esta Ley.

PROCEDIMIENTOS DE CONCILIACIÓN, MEDIACIÓN Y ARBITRAJE

La LPACAP también permite que las leyes puedan sustituir los recursos administrativos ordinarios (alzada y reposición) por otros procedimientos de conciliación, mediación y arbitraje.

Si bien estos mecanismos han tenido poca utilización, en buena medida por el juego del principio de legalidad y la propia posición institucional de la Administración pública y las prerrogativas y privilegios que le corresponden, son muchas las voces en la doctrina administrativista que abogan por una potenciación de los mismos. De hecho, están empezando a experimentar un mayor desarrollo y, progresivamente, va incrementándose su utilización, tanto por la falta de eficacia de los recursos administrativos como por los beneficios que estos instrumentos pueden reportar.

La posibilidad de utilizar estos procedimientos "se enmarca en una nueva concepción de las relaciones entre el ciudadano y la Administración, basada no tanto en la imposición unilateral del acto administrativo, sino en el diálogo, en el pacto, en el acuerdo" [TRAYTER JIMÉNEZ, J. M. (2021). *Derecho Administrativo. Parte General*, 6ª ed. Atelier, Barcelona, p. 462]. En este contexto, se está incrementando la colaboración con los ciudadanos y el recurso a la actuación paccionada por parte de las Administraciones públicas. Por ello, "es cada vez más importante la tendencia al establecimiento de fórmulas y mecanismos nuevos de arreglo de los contenciosos administrativos, en términos de revitalización de las vías impugnatorias administrativas o de auto o heterocomposición", siendo los objetivos a cubrir "primero y ante todo evitar el nacimiento de conflictos, en segundo término buscar soluciones alternativas a las judiciales y, finalmente, poner fin a los litigios ya entablados o, cuando menos, evitar su excesiva o innecesaria prolongación" [PAREJO ALFONSO, L., *Lecciones de Derecho Administrativo*, 9ª edición, Tirant lo Blanch, València, 2018, p. 1010].

CONCILIACIÓN
La conciliación es un procedimiento voluntario, de solución de conflictos, a través del cual las partes intentan llegar a un acuerdo en relación con la cuestión controvertida, con la ayuda de un tercero neutral, que no interviene en las negociaciones y cuyo papel principal es promover el encuentro y fomentar la comunicación entre las partes, acercarlas y rebajar tensiones para alcanzar un acuerdo que ponga fin a la controversia suscitada. Se trata, por tanto, de "un acto procesal previo a la jurisdicción creado con el fin de evitar conflictos", en el que "el conciliador únicamente reúne a las partes, pero en principio no hace propuesta alguna" [TRAYTER JIMÉNEZ, J. M. (2021). *Derecho Administrativo. Parte General*, 6ª ed. Atelier, Barcelona, p. 464].
Este medio de autocomposición puede configurarse como un acto previo al proceso (conciliación preventiva, cuya finalidad es evitar el proceso judicial —es la prevista en el art. 112.2 LPACAP—) o como una fase en el seno del propio proceso (conciliación intraprocesal, cuyo objeto es tratar de finalizar anticipadamente el proceso ya comenzado —prevista en el art. 77.1 LJCA—) [ESCARTÍN ESCUDÉ, V., "Los nuevos mecanismos de control y resolución extrajudicial de conflictos en Derecho administrativo. En especial, el arbitraje administrativo", en AGUDO GONZÁLEZ, J. (dir.), *Control administrativo y justicia administrativa*, INAP, Madrid, 2016, p. 181].
Aunque los procedimientos de conciliación están previstos en el artículo 112.2 LPACAP, como advierte PAREJO ALFONSO, "no es un mecanismo de autocomposición que tenga una presencia mínimamente significativa en el ámbito administrativo, por más que el trámite previsto en sede procesal en el art. 77.1 LJCA pueda adscribirse a dicha fórmula" [PAREJO ALFONSO, L., *Lecciones de Derecho Administrativo*, 9ª edición, Tirant lo Blanch, València, 2018, p. 1011]. Actualmente, puede encontrarse un ejemplo de conciliación en la Ley 3/2019, de 22 de enero, de garantía de la autonomía municipal de Extremadura, cuyo artículo 41 incluye un trámite de conciliación previo a la interposición de recursos judiciales cuando estén en juego competencias locales. Con arreglo a este precepto, con el fin de resolver de forma acordada los conflictos que en materia competencial puedan surgir entre la Junta de Extremadura y las entidades locales, o entre estas últimas entre sí, se podrá acudir a la conciliación prejudicial. Este trámite "tendrá carácter voluntario y previo a la interposición de la acción jurisdiccional y se regirá por los principios de antiformalismo e igualdad de las partes en las actuaciones" (art. 41.2).

	MEDIACIÓN
	La mediación "consiste en un procedimiento no formalizado según el cual un tercero neutral (llamado mediador) contribuye a la resolución de un conflicto entre partes, organizando el intercambio de sus puntos de vista, intentando aproximarlos y propiciando, en definitiva, una composición de sus intereses" [TRAYTER JIMÉNEZ, J. M. (2021). *Derecho Administrativo. Parte General*, 6ª ed. Atelier, Barcelona, p. 463]. A diferencia de lo que sucede en la conciliación, aquí la intervención del tercero es más activa. En efecto, en tanto que en la conciliación asume una actitud pasiva y se limita a facilitar el acuerdo entre las partes para que lleguen a una solicitud satisfactoria, en la mediación adopta una posición activa, guía a los interesados y tiene facultades para proponer acuerdos a las partes y formalizar una propuesta de resolución del conflicto, con el objetivo de poner fin a la controversia, a la que las partes podrán acogerse de forma voluntaria. La mediación "es tanto un sistema alternativo a los recursos administrativos como un medio de finalización del procedimiento administrativo, por lo que también tendría cabida en el art. 86 LPACAP" [TRAYTER JIMÉNEZ, J. M. (2021). *Derecho Administrativo. Parte General*, 6ª ed. Atelier, Barcelona, p. 463]. Su utilización como alternativa a los recursos pretende poner fin al conflicto planteado y la resolución definitiva del mismo. Algunas leyes sectoriales contemplan la mediación como vía alternativa a los recursos administrativos para resolver determinados conflictos. Se señalan, a continuación, algunos ejemplos: – En materia de empleo público, el Real Decreto Legislativo 5/2015, de 30 de octubre, por el que se aprueba el texto refundido de la Ley del Estatuto Básico del Empleado Público, dedica su artículo 45 a la solución extrajudicial de conflictos colectivos. Desde la perspectiva que aquí nos interesa, su apartado tercero prevé que "La mediación será obligatoria cuando lo solicite una de las partes y las propuestas de solución que ofrezcan el mediador o mediadores podrán ser libremente aceptadas o rechazadas por las mismas". El acuerdo logrado a través de la mediación tendrá la misma eficacia jurídica y tramitación de los actos y acuerdos regulados en esta norma, siempre que quienes hubieran adoptado el acuerdo tuviesen la legitimación que les permita acordar, en el ámbito del conflicto, un pacto o acuerdo conforme a lo previsto en este Estatuto. Estos acuerdos serán susceptibles de impugnación.

- En materia de transparencia, la Ley 19/2014, de 29 de diciembre, de transparencia, acceso a la información pública y buen gobierno, de Cataluña, prevé la posibilidad de que las reclamaciones en materia de acceso a la información pública ante la Comisión de Garantía del Derecho de Acceso a la Información Pública sean resueltas mediante un proceso de mediación. En efecto, su artículo 42 determina que las reclamaciones "pueden tramitarse mediante un procedimiento de mediación o un procedimiento ordinario con resolución" (apartado 2). También prevé que la Comisión de Garantía del Derecho de Acceso a la Información Pública "debe informar a las partes afectadas sobre el procedimiento de mediación. La Administración no puede oponerse a aplicar este procedimiento si las demás partes lo aceptan. El procedimiento de mediación suspende el plazo para resolver" (apartado 4). El acuerdo fruto de la mediación "debe ser aprobado por el reclamante, por la Administración afectada y, en su caso, por los terceros que hayan comparecido en el procedimiento. Este acuerdo pone fin al procedimiento y en ningún caso puede ser contrario al ordenamiento jurídico" (apartado 5). En caso de no aceptarse la mediación o no alcanzarse un acuerdo en el plazo de un mes desde su aceptación, "la reclamación debe tramitarse mediante un procedimiento con resolución de la Comisión, de acuerdo con las normas reguladoras de los recursos administrativos" (apartado 6).
- En materia de turismo, la Ley 2/2013, de 29 de mayo, de renovación y modernización turística de Canarias prevé, en su artículo 28, que los interesados, en lugar del recurso administrativo que corresponda, puedan optar por la vía de la mediación, que se llevará a cabo por un órgano colegiado o comisión específica no sometida a instrucciones jerárquicas, conforme a lo previsto en la legislación básica, con respeto a los principios, garantías y plazos que la ley reguladora del procedimiento común recoge. El acuerdo derivado de la mediación dará por finalizado el procedimiento. Contra esta resolución consensuada no cabe la interposición de recurso administrativo alguno.

ARBITRAJE

El arbitraje de derecho administrativo constituye un medio de resolución de conflictos entre la Administración pública y los ciudadanos, en el que las partes, de manera voluntaria, acuerdan someter la cuestión litigiosa a la decisión de un árbitro (un tercero neutral y especializado), siendo el laudo o la decisión arbitral de obligado cumplimiento para las partes, sin perjuicio de que pueda ser posteriormente impugnado ante los tribunales. Cuando el arbitraje se utiliza como alternativa a la vía del recurso administrativo, el laudo arbitral pone fin a la vía administrativa.

La aplicación del arbitraje en el ámbito del Derecho administrativo ha encontrado algunas dificultades, en buena medida como consecuencia de las dudas y reticencias a su utilización manifestadas por una parte de la doctrina y su uso todavía es bastante limitado. Sin embargo, en la actualidad, la doctrina mayoritaria admite de forma matizada el arbitraje en el ámbito del derecho público, aunque señalando algunas materias en que no sería posible su uso. Así, suele descartarse su utilización en las materias que impliquen la soberanía, el *imperium* o la potestad normativa y en el ejercicio de potestades regladas —también en los elementos reglados de las potestades discrecionales—. En cambio, suele admitirse en relación con los conflictos que surgen en relación con los contratos y los convenios celebrados por la Administración, así como en controversias que versen sobre reclamación de cantidad o tengan carácter patrimonial [*vid*. PAREJO ALFONSO, L., *Lecciones de Derecho Administrativo*, 9ª edición, Tirant lo Blanch, València, 2018, p. 1015 y TRAYTER JIMÉNEZ, J. M., *Derecho Administrativo. Parte General*, 6ª ed. Atelier, Barcelona, p. 465]. De este modo, como pone de manifiesto TRAYTER JIMÉNEZ, "las cuestiones litigiosas por él resueltas deben ser 'materias de libre disposición' por las partes, circunstancia que no concurre en los supuestos señalados" (*Derecho Administrativo. Parte General*, 6ª ed. Atelier, Barcelona, p. 465).

Actualmente, algunas normas admiten expresamente la figura del arbitraje en Derecho administrativo, aunque someten su aplicación a determinadas condiciones y garantías. Así, el artículo 7.3 de la Ley 47/2003, de 26 de noviembre, general presupuestaria prevé que "Sin perjuicio de lo establecido en el apartado 2 del artículo 10 de esta ley, no se podrá transigir judicial ni extrajudicialmente sobre los derechos de la Hacienda Pública estatal, ni someter a arbitraje las contiendas que se susciten respecto de los mismos, sino mediante real decreto acordado en Consejo de Ministros, previa audiencia del Consejo de Estado en pleno". En la misma línea, el artículo 31 de la Ley 33/2003, de 3 de noviembre, del patrimonio de las Administraciones públicas, determina que "No se podrá transigir judicial ni extrajudicialmente sobre los bienes y derechos del Patrimonio del Estado, ni someter a arbitraje las contiendas que se susciten sobre los mismos, sino mediante real decreto acordado en Consejo de Ministros, a propuesta del de Hacienda, previo dictamen del Consejo de Estado en pleno". Y la disposición adicional primera, apartado 3, de la Ley 9/2017, de 8 de noviembre, de contratos del sector público, dispone que "En los contratos con empresas extranjeras se procurará la incorporación de cláusulas de sumisión a los Tribunales españoles para resolver las discrepancias que puedan surgir. Cuando no sea posible, se procurará la incorporación de cláusulas de arbitraje. En estos contratos se podrá transigir previa autorización del Consejo de Ministros o del órgano competente de las Comunidades Autónomas y entidades locales". Asimismo, de la propia Ley 6/2003, de 23 de diciembre, de arbitraje, parece admitirse, como señala PAREJO ALFONSO, la posibilidad del arbitraje en materias jurídico-administrativas (*Lecciones de Derecho Administrativo*, 9ª edición, Tirant lo Blanch, València, 2018, p. 1014).

Otras leyes sectoriales también contemplan el arbitraje como vía para resolver determinados conflictos. Se exponen, a continuación, algunos ejemplos:

- En materia de empleo público, el Real Decreto Legislativo 5/2015, de 30 de octubre, por el que se aprueba el texto refundido de la Ley del Estatuto Básico del Empleado Público, dedica su artículo 45 a la solución extrajudicial de conflictos colectivos. Desde la perspectiva que aquí nos interesa, su apartado tercero prevé que "Mediante el procedimiento de arbitraje las partes podrán acordar voluntariamente encomendar a un tercero la resolución del conflicto planteado, comprometiéndose de antemano a aceptar el contenido de la misma". El acuerdo logrado a través de la resolución de arbitraje tendrá la misma eficacia jurídica y tramitación de los pactos y acuerdos regulados en esta norma, siempre que quienes hubieran suscrito el compromiso arbitral tuviesen la legitimación que les permita acordar, en el ámbito del conflicto, un pacto o acuerdo conforme a lo previsto en este Estatuto. Estos acuerdos serán susceptibles de impugnación. Específicamente "cabrá recurso contra la resolución arbitral en el caso de que no se hubiesen observado en el desarrollo de la actuación arbitral los requisitos y formalidades establecidos al efecto o cuando la resolución hubiese versado sobre puntos no sometidos a su decisión, o que ésta contradiga la legalidad vigente" (art. 45.4 Real Decreto Legislativo 5/2015).
- En el ámbito de las relaciones interadministrativas, la Ley 12/2012, de 23 de mayo, por la que se aprueba el concierto económico con la Comunidad Autónoma del País Vasco, atribuye a la Junta Arbitral —integrada por tres miembros— la resolución de los conflictos que se planteen entre la Administración del Estado y las Diputaciones Forales o entre éstas y la Administración de cualquier otra Comunidad Autónoma, en relación con la aplicación de los puntos de conexión de los tributos concertados y la determinación de la proporción correspondiente a cada Administración en los supuestos de tributación conjunta por el Impuesto sobre Sociedades o por el Impuesto sobre el Valor Añadido; el conocimiento de los conflictos que surjan entre las Administraciones interesadas como consecuencia de la interpretación y aplicación del concierto económico a casos concretos concernientes a relaciones tributarias individuales; y la resolución de las discrepancias que puedan producirse respecto a la domiciliación de los contribuyentes (art. 66.1). Los acuerdos de esta Junta Arbitral, "sin perjuicio de su carácter ejecutivo, serán únicamente susceptibles de recurso en vía contencioso-administrativa ante la Sala correspondiente del Tribunal Supremo" (art. 68).

Capítulo 6

La ejecución forzosa de los actos administrativos[*]

1. INTRODUCCIÓN

La LPACAP dispone que los actos de las Administraciones Públicas sujetos al Derecho administrativo serán ejecutivos con arreglo a lo dispuesto en la misma Ley (art. 38 LPACAP) y, con carácter general, se presumirán válidos y producirán efectos desde la fecha en que se dicten, salvo que en ellos se disponga otra cosa (art. 39.1 LPACAP). Asimismo, los actos de las Administraciones Públicas sujetos al Derecho administrativo "serán inmediatamente ejecutivos, salvo que: a) se produzca la suspensión de la ejecución del acto; b) se trate de una resolución de un procedimiento de naturaleza sancionadora contra la que quepa algún recurso en vía administrativa, incluido el potestativo de reposición; c) una disposición establezca lo contrario; d) o se necesite aprobación o autorización superior" (art. 98.1 LPACAP).

Son actos que deben ser cumplidos voluntariamente por sus destinatarios. Ahora bien, si este cumplimiento voluntario no se produce en el plazo dado, la Administración Pública que ha dictado el acto administrativo, sin necesidad de acudir al juez, podrá hacerlo cumplir e imponer su cumplimiento forzoso mediante la potestad de autotutela ejecutiva (o privilegio de ejecución forzosa) de que está dotada por el ordenamiento jurídico, aplicando un medio de ejecución forzosa.

Es la existencia de un acto administrativo incumplido la que justifica el ejercicio de la potestad de ejecución forzosa por parte de las Administraciones Públicas.

La ejecución forzosa es "un procedimiento de ejecución del acto administrativo en que la Administración utiliza la coacción frente a los administrados que se niegan a cumplirlo voluntariamente. El ordenamiento jurídico posibilita a la Administración pública la

[*]   Dra. Lucía Casado Casado, *Profesora Titular de Derecho Administrativo, acreditada como Catedrática, Universitat Rovira i Virgili.*

utilización de un procedimiento para hacer efectivas las consecuencias jurídicas del acto administrativo" [Lafuente Benaches, M. (1992), *La ejecución forzosa de los actos administrativos por la administración pública*, Tecnos, Madrid, p. 131].

La potestad de ejecución forzosa encuentra su fundamento en la presunción *iuris tantum* de legalidad y en el principio de eficacia de la actuación administrativa proclamado en el artículo 103 de la CE.

El artículo 99 de la LPACAP atribuye a las Administraciones Públicas la potestad para proceder a la ejecución forzosa de sus actos: "Las Administraciones Públicas, a través de sus órganos competentes en cada caso, podrán proceder, previo apercibimiento, a la ejecución forzosa de los actos administrativos, salvo en los supuestos en que se suspenda la ejecución de acuerdo con la Ley, o cuando la Constitución o la Ley exijan la intervención de un órgano judicial".

Los instrumentos que las Administraciones Públicas pueden utilizar para proceder a la ejecución forzosa de sus actos son los siguientes (art. 100.1 LPACAP):

a) Apremio sobre el patrimonio.
b) Ejecución subsidiaria.
c) Multa coercitiva.
d) Compulsión sobre las personas.

La Administración no puede utilizar libremente y de manera discrecional el medio de ejecución forzosa, ya que cada uno debe utilizarse únicamente cuando se den las circunstancias y los requisitos establecidos a tal efecto por la LPACAP, respetando el principio de proporcionalidad y aplicando el medio menos restrictivo para la libertad individual.

2. Concepto, medios de ejecución forzosa y principios generales

Esquema 51. Aspectos generales

ASPECTOS GENERALES	
CONCEPTO	Los actos de las Administraciones Públicas sujetos al Derecho administrativo, de acuerdo con el artículo 38 de la LPACAP, "serán ejecutivos con arreglo a lo dispuesto en esta Ley". Asimismo, "serán inmediatamente ejecutivos, salvo que se produzca la suspensión de la ejecución del acto; se trate de una resolución de un procedimiento de naturaleza sancionadora contra la que quepa algún recurso en vía administrativa, incluido el potestativo de reposición; una disposición establezca lo contrario; o se necesite aprobación o autorización superior" (art. 98.1 de la LPACAP). Estos actos, por tanto, deben ser cumplidos voluntariamente por sus destinatarios. Ahora bien, si este cumplimiento voluntario no se produce, la Administración Pública podrá imponer el cumplimiento forzoso mediante la potestad de autotutela ejecutiva de que está dotada por el ordenamiento jurídico, aplicando un medio de ejecución forzosa. La ejecución forzosa puede definirse como "un procedimiento de ejecución del acto administrativo en que la Administración utiliza la coacción frente a los administrados que se niegan a cumplirlo voluntariamente. El ordenamiento jurídico posibilita a la Administración Pública la utilización de un procedimiento para hacer efectivas las consecuencias jurídicas del acto administrativo" [LAFUENTE BENACHES, M. (1992), *La ejecución forzosa de los actos administrativos por la administración pública*, Tecnos, Madrid, p. 131]. El artículo 99 de la LPACAP atribuye a las Administraciones Públicas la potestad para proceder a la ejecución forzosa de sus actos: "Las Administraciones Públicas, a través de sus órganos competentes en cada caso, podrán proceder, previo apercibimiento, a la ejecución forzosa de los actos administrativos, salvo en los supuestos en que se suspenda la ejecución de acuerdo con la Ley, o cuando la Constitución o la Ley exijan la intervención de un órgano judicial". Por tanto, como regla general, las Administraciones Públicas pueden ejecutar forzosamente sus actos administrativos y sólo se exceptúan "aquellos casos en que la ejecución se ha suspendido de acuerdo a la ley y aquellos otros, que son excepcionales, en que necesita el auxilio o la intervención de los Tribunales de Justicia con ese fin, por imperativo de la Constitución o de la ley" [SÁNCHEZ MORÓN, M. (2016), *Derecho Administrativo. Parte General*, 12ª ed., Tecnos, Madrid, p. 565].

FUNDAMENTO	La potestad de ejecución forzosa encuentra su fundamento en la presunción *iuris tantum* de legalidad (de acuerdo con el art. 39.1 de la LPACAP, "Los actos de las Administraciones Públicas sujetos al Derecho Administrativo se presumirán válidos y producirán efectos desde la fecha en que se dicten, salvo que en ellos se disponga otra cosa") y en el principio de eficacia de la actuación administrativa proclamado en el artículo 103 de la CE.
MEDIOS DE EJECUCIÓN FORZOSA	Los instrumentos que las Administraciones Públicas pueden utilizar para proceder a la ejecución forzosa de sus actos son los siguientes (art. 100.1 de la LPACAP): a) Apremio sobre el patrimonio. b) Ejecución subsidiaria. c) Multa coercitiva. d) Compulsión sobre las personas. Estos medios de ejecución forzosa son *numerus clausus* y no pueden aplicarse otros [TRAYTER JIMÉNEZ, J. M. (2021), *Derecho Administrativo. Parte General*, 6ª ed, Atelier, Barcelona, p. 372]. La elección del medio de ejecución forzosa a aplicar no es discrecional para la Administración. La Administración no puede utilizar libremente y según su voluntad estos medios de ejecución forzosa, ya que cada uno de estos medios debe emplearse, atendiendo al tipo de acto, su contenido u objeto, únicamente cuando se den las circunstancias y los requisitos establecidos a tal efecto por la LPACAP. De ahí que unos medios que son admisibles en unos casos pueden no serlo en otros, si bien es cierto que pueden darse situaciones en que resulten potencialmente utilizables más de un medio de ejecución forzosa. En estos casos, la Administración deberá elegir el más adecuado, de acuerdo con los principios generales establecidos a tal efecto (*vid*. el apartado siguiente). Estos medios de ejecución forzosa se encuentran interrelacionados entre sí, ya que si la aplicación de uno de ellos no consigue el resultado pretendido, podrá aplicarse otro, si concurren las circunstancias previstas en la normativa para ello (por ejemplo, el impago de una multa coercitiva puede desembocar en la vía de apremio sobre el patrimonio). Algunos autores han puesto de relieve que todos los medios de ejecución forzosa pueden reconducirse a la vía de apremio. Así sucede con la ejecución subsidiaria, que supone la conversión de la obligación que impone el acto en una deuda pecuniaria por el importe de los gastos originados por la ejecución y los posibles daños y perjuicios, a cargo del sujeto obligado por el acto que se trata de ejecutar; con la multa coercitiva, que consiste en la imposición de una obligación pecuniaria y que también puede desembocar en la vía de apremio; y con la compulsión sobre las personas, que también puede convertirse en una deuda pecuniaria, de resarcimiento de los daños y perjuicios, si la obligación que se trata de ejecutar es personalísima y de hacer y no se ha realizado la prestación, y ser, por tanto, susceptible de apremio [SANZ LARRUGA, F. J. (1991), *El procedimiento administrativo de apremio*, Madrid, La Ley].

PRINCIPIOS GENERALES	La potestad de ejecución forzosa se sujeta a una serie de principios generales, entre los que destacan especialmente los siguientes: a) El principio de legalidad y el sometimiento pleno de la actuación administrativa a la ley y al derecho, como establece con carácter general el artículo 103.1 de la CE. b) El principio de proporcionalidad. El artículo 100.1 de la LPACAP dispone que "La ejecución forzosa por las Administraciones Públicas se efectuará, respetando siempre el principio de proporcionalidad…". Por lo tanto, la medida de ejecución debe ser adecuada a la finalidad que se pretende, sin ser excesiva. c) El principio *pro libertate*, de conformidad con el cual debe aplicarse el medio de ejecución forzosa menos restrictivo de la libertad individual. De acuerdo con el artículo 100.2 de la LPACAP, "Si fueran varios los medios de ejecución admisibles se elegirá el menos restrictivo de la libertad individual". d) El artículo 100.3 de la LPACAP prevé que "Si fuese necesario entrar en el domicilio del afectado o en los restantes lugares que requieran la autorización de su titular, las Administraciones Públicas deberán obtener el consentimiento del mismo o, en su defecto, la oportuna autorización judicial". Se impone, en consecuencia, a la Administración la exigencia de autorización judicial previa para entrar en el domicilio o en otros lugares que requieran la autorización de su titular, en caso de que éste niegue su consentimiento.

3. LOS REQUISITOS PARA LA EJECUCIÓN FORZOSA DE LOS ACTOS ADMINISTRATIVOS

3.1. *La existencia de un acto administrativo formal*

ESQUEMA 52. La existencia de un acto administrativo formal

LA EXISTENCIA DE UN ACTO ADMINISTRATIVO FORMAL	
NECESARIA EXISTENCIA DE UN ACTO ADMINISTRATIVO	Para que las Administraciones Públicas puedan proceder a la ejecución forzosa de sus actos administrativos es necesaria la existencia de un acto administrativo declarativo previo que actúe como título habilitante o fundamento de la ejecución. En este sentido, el artículo 97.1 de la LPACAP establece que "Las Administraciones Públicas no iniciarán ninguna actuación material de ejecución de resoluciones que limite derechos de los particulares sin que previamente haya sido adoptada la resolución que le sirva de fundamento jurídico".

CARACTERÍSTICAS DEL ACTO ADMINISTRATIVO	El acto administrativo previo, cuya existencia es presupuesto inexcusable para la viabilidad de la ejecución forzosa, debe reunir las características siguientes: a) Debe tratarse de un acto administrativo que, habiendo podido ser cumplido voluntariamente por su destinatario, se ha incumplido. Es la existencia de un acto administrativo incumplido la que justifica el ejercicio de la potestad de ejecución forzosa por parte de las Administraciones Públicas. b) Es preciso que el acto sea notificado a aquel que resulte obligado por el mismo, para que pueda conocer su contenido y decida si lo cumple voluntariamente o no lo cumple. La Administración Pública sólo podrá utilizar la potestad de ejecución forzosa después de comprobar que el destinatario conocía el acto y no lo ha cumplido. Asimismo, como establece el artículo 97.2 de la LPACAP, "El órgano que ordene un acto de ejecución material de resoluciones estará obligado a notificar al particular interesado la resolución que autorice la actuación administrativa". c) Es necesario que el acto administrativo a ejecutar sea eficaz, si bien no es necesario que sea firme, ya que los actos de las Administraciones Públicas sujetos al Derecho administrativo son inmediatamente ejecutivos (salvo que se produzca la suspensión de la ejecución del acto; se trate de una resolución de un procedimiento de naturaleza sancionadora contra la que quepa algún recurso en vía administrativa, incluido el potestativo de reposición; una disposición establezca lo contrario; o se necesite aprobación o autorización superior). Con carácter general, basta que exista un acto definitivo, aun cuando haya sido impugnado en vía administrativa o contenciosa y la declaración de su validez y eficacia esté pendiente de la resolución de un recurso administrativo o jurisdiccional. No obstante, debe tenerse presente lo siguiente: – La interposición de un recurso administrativo puede conllevar la suspensión de la eficacia del acto administrativo impugnado, si se dan las circunstancias previstas en el artículo 117 de la LPACAP. – En materia sancionadora, la resolución que ponga fin al procedimiento "será ejecutiva cuando no quepa contra ella ningún recurso ordinario en vía administrativa, pudiendo adoptarse en la misma las disposiciones cautelares precisas para garantizar su eficacia en tanto no sea ejecutiva y que podrán consistir en el mantenimiento de las medidas provisionales que en su caso se hubieran adoptado". Cuando la resolución sea ejecutiva, "se podrá suspender cautelarmente, si el interesado manifiesta a la Administración su intención de interponer recurso contencioso-administrativo contra la resolución firme en vía administrativa". Dicha suspensión cautelar finalizará cuando haya transcurrido el plazo legalmente previsto sin que el interesado haya interpuesto recurso contencioso-administrativo; o cuando, habiendo interpuesto el interesado recurso contencioso-administrativo, no se haya solicitado en el mismo trámite la suspensión cautelar de la resolución impugnada, o el órgano judicial se pronuncie sobre la suspensión cautelar solicitada, en los términos previstos en ella (art. 90.3 de la LPACAP).

CARACTERÍSTICAS DEL ACTO ADMINISTRATIVO (cont.)	En consecuencia, es el acto administrativo previo, notificado correctamente e incumplido, el que actúa como título ejecutivo para que la Administración Pública pueda iniciar la ejecución forzosa. El procedimiento de ejecución forzosa seguido sin título ejecutivo previo es nulo [TRAYTER JIMÉNEZ, J. M. (2021), *Derecho Administrativo. Parte General*, 6ª ed, Atelier, Barcelona, p. 373].

3.2. *El procedimiento de ejecución forzosa*

ESQUEMA 53. El procedimiento de ejecución forzosa

EL PROCEDIMIENTO DE EJECUCIÓN FORZOSA	
REGULACIÓN	La LPACAP no regula propiamente el procedimiento de ejecución forzosa, pero sí que establece una serie de reglas generales a las que debe ajustarse el ejercicio de los diferentes medios de ejecución forzosa y que son comunes a todos ellos. Para la regulación del procedimiento de apremio, la LPACAP remite al procedimiento previsto en las normas reguladoras del procedimiento de apremio (art. 101.1 de la LPACAP).
TRÁMITES	El procedimiento de ejecución forzosa viene constituido por aquellos trámites conducentes a hacer efectiva la eficacia de un acto administrativo incumplido por su destinatario. Son los siguientes: a) *El trámite de apercibimiento al obligado de que está en situación de incumplimiento.* La ejecución forzosa de un acto administrativo debe estar precedida por un trámite de apercibimiento previo, exigido por el artículo 99 de la LPACAP. Este trámite consiste en la realización de una advertencia y un recordatorio al destinatario del acto administrativo sobre la existencia de la obligación impuesta por la Administración, el plazo para cumplirla y las consecuencias jurídicas derivadas de su incumplimiento. Supone, en definitiva, advertir al interesado que de no cumplir voluntariamente en el plazo que se señala se procederá a la ejecución forzosa.

TRÁMITES
(cont.)
	b) La creación del título ejecutivo.
	   Es necesaria la creación de un título ejecutivo, lo que implica identificar con precisión el contenido y el destinatario de la ejecución del acto administrativo del que nace la obligación que se pretende ejecutar, así como constatar que, realizado el oportuno apercibimiento y transcurrido el plazo otorgado en dicho apercibimiento, el interesado continúa sin cumplir la obligación.
	c) La elección del medio de ejecución forzosa aplicable.
	   La Administración Pública debe seleccionar el medio de ejecución forzosa aplicable de acuerdo con lo establecido en la LPACAP, respetando el principio de proporcionalidad y aplicando el medio menos restrictivo para la libertad individual.

4. Los medios de ejecución forzosa

4.1. *Apremio sobre el patrimonio*

Esquema 54. Apremio sobre el patrimonio

APREMIO SOBRE EL PATRIMONIO	
CONCEPTO	El apremio sobre el patrimonio es un medio de ejecución forzosa que permite hacer efectivo el cumplimiento de las obligaciones impuestas por el acto administrativo sobre el patrimonio del obligado.
ÁMBITO DE APLICACIÓN	Este medio de ejecución forzosa sólo puede aplicarse en los supuestos en que el acto administrativo impone una obligación de satisfacer una cantidad líquida, es decir, una obligación pecuniaria, y no ha sido pagada en periodo voluntario. En cualquier caso, como establece el artículo 101.2 de la LPACAP, "no podrá imponerse a los administrados una obligación pecuniaria que no estuviese establecida con arreglo a una norma de rango legal". En relación con el pago derivado de una sanción pecuniaria, multa o cualquier otro derecho que haya de abonarse a la Hacienda pública, éste se efectuará preferentemente, salvo que se justifique la imposibilidad de hacerlo, utilizando alguno de los medios electrónicos siguientes: tarjeta de crédito y débito, transferencia bancaria, domiciliación bancaria o cualesquiera otros que se autoricen por el órgano competente en materia de Hacienda Pública (art. 98.2 de la LPACAP).

	CUESTIONES GENERALES
PROCEDIMIENTO	La LPACAP no regula el procedimiento de apremio y se limita a remitirse a las normas tributarias. El artículo 101.1 de la LPACAP establece que "Si en virtud de acto administrativo hubiera de satisfacerse cantidad líquida se seguirá el procedimiento previsto en las normas reguladoras del procedimiento de apremio". La regulación del procedimiento de apremio, además de en el artículo 101 LPACAP, se contiene, fundamentalmente, en los artículos 163 a 173 de la Ley 58/2003, de 17 de diciembre, General Tributaria, y en los artículos 70 a 123 del Real Decreto 939/2005, de 29 de julio, por el que se aprueba el Reglamento General de Recaudación. También hay que tener en cuenta el Real Decreto 1415/2004, de 11 de junio, por el que se aprueba el Reglamento General de Recaudación de la Seguridad Social. El procedimiento de apremio es exclusivamente administrativo. La competencia para entender del mismo y resolver todas sus incidencias corresponde únicamente a la Administración tributaria (art. 163.1 de la LGT). El procedimiento administrativo de apremio no será acumulable a los judiciales ni a otros procedimientos de ejecución. Su iniciación o tramitación no se suspenderá por la iniciación de aquéllos, salvo cuando proceda de acuerdo con lo establecido en la Ley Orgánica 2/1987, de 18 de mayo, de Conflictos Jurisdiccionales, o con las normas establecidas en el artículo 164 de la LGT (art. 163.2 de la LGT).
	FASES DEL PROCEDIMIENTO
	El procedimiento de apremio es un procedimiento formalizado, que consta de las siguientes fases: *a) Iniciación* – El procedimiento de apremio se iniciará e impulsará de oficio en todos sus trámites y, una vez iniciado, sólo se suspenderá en los casos y en la forma prevista en la normativa tributaria (art. 163.3 de la LGT). Los supuestos de suspensión del procedimiento de apremio se recogen en el artículo 165 de la LGT. – El procedimiento de apremio se inicia mediante la providencia de apremio, que es el acto de la Administración que ordena la ejecución contra el patrimonio del obligado al pago. Esta providencia debe ser notificada al obligado tributario y en ella se identificará la deuda pendiente, se liquidarán los recargos correspondientes y se le requerirá para que efectúe el pago (art. 167.1 de la LGT).

	FASES DEL PROCEDIMIENTO *(cont.)*

PROCEDIMIENTO **(cont.)**	– El contenido mínimo de la providencia de apremio se fija en el artículo 70 del RGR:
	  ✓ Nombre y apellidos o razón social o denominación completa, número de identificación fiscal y domicilio del obligado al pago.
	  ✓ Concepto, importe de la deuda y periodo al que corresponde.
	  ✓ Indicación expresa de que la deuda no ha sido satisfecha, de haber finalizado el correspondiente plazo de ingreso en periodo voluntario y del comienzo del devengo de los intereses de demora.
	  ✓ Liquidación del recargo del periodo ejecutivo.
	  ✓ Requerimiento expreso para que efectúe el pago de la deuda, incluido el recargo de apremio reducido, en el plazo al que se refiere el artículo 62.5 de la LGT.
	  ✓ Advertencia de que, en caso de no efectuar el ingreso del importe total de la deuda pendiente en dicho plazo, incluido el recargo de apremio reducido del 10 por ciento, se procederá al embargo de sus bienes o a la ejecución de las garantías existentes para el cobro de la deuda, con inclusión del recargo de apremio del 20 por ciento y de los intereses de demora que se devenguen hasta la fecha de cancelación de la deuda.
	  ✓ Fecha de emisión de la providencia de apremio.
	– La providencia de apremio será título suficiente para iniciar el procedimiento de apremio y tendrá la misma fuerza ejecutiva que la sentencia judicial para proceder contra los bienes y derechos de los obligados tributarios (art. 167.2 de la LGT).
	– Contra la providencia de apremio sólo serán admisibles los siguientes motivos de oposición (art. 167.3 de la LGT):
	  ✓ Extinción total de la deuda o prescripción del derecho a exigir el pago.
	  ✓ Solicitud de aplazamiento, fraccionamiento o compensación en período voluntario y otras causas de suspensión del procedimiento de recaudación.
	  ✓ Falta de notificación de la liquidación.
	  ✓ Anulación de la liquidación.
	  ✓ Error u omisión en el contenido de la providencia de apremio que impida la identificación del deudor o de la deuda apremiada.
	– La iniciación del procedimiento de apremio produce los siguientes efectos:
	  ✓ El devengo del recargo del período ejecutivo.
	  ✓ El comienzo del devengo de los intereses de demora.
	  ✓ El embargo y enajenación de los bienes y derechos del obligado tributario si no efectuara el pago dentro del plazo establecido (debe advertirse así en la providencia de apremio —art. 167.4 de la LGT—).

PROCEDIMIENTO
(cont.)
	b) Desarrollo
	En la fase de desarrollo del procedimiento de apremio se dan tres momentos principales:
	– La práctica del embargo de bienes y derechos.
	   ✓ Extensión del embargo
	     Con respeto al principio de proporcionalidad, se procederá al embargo de los bienes y derechos del obligado tributario en cuantía suficiente para cubrir el importe de la deuda no ingresada, los intereses que se hayan devengado o se devenguen hasta la fecha del ingreso en el Tesoro, los recargos del período ejecutivo y las costas del procedimiento de apremio (art. 169.1 de la LGT).
	   ✓ Orden de los bienes y derechos
	     Si la Administración y el obligado tributario no hubieran acordado otro orden diferente, se embargarán los bienes del obligado teniendo en cuenta la mayor facilidad de su enajenación y la menor onerosidad de ésta para el obligado. Si estos criterios fueran de imposible o muy difícil aplicación, los bienes se embargarán por el siguiente orden (art. 169.2 de la LGT):
	     a) Dinero efectivo o en cuentas abiertas en entidades de crédito.
	     b) Créditos, efectos, valores y derechos realizables en el acto o a corto plazo.
	     c) Sueldos, salarios y pensiones.
	     d) Bienes inmuebles.
	     e) Intereses, rentas y frutos de toda especie.
	     f) Establecimientos mercantiles o industriales.
	     g) Metales preciosos, piedras finas, joyería, orfebrería y antigüedades.
	     h) Bienes muebles y semovientes.
	     i) Créditos, efectos, valores y derechos realizables a largo plazo.
	     Se embargarán sucesivamente los bienes o derechos conocidos en ese momento por la Administración tributaria hasta que se presuma cubierta la deuda. En todo caso, se embargarán en último lugar aquéllos para cuya traba sea necesaria la entrada en el domicilio del obligado tributario (art. 169.4 de la LGT).
	     A solicitud del obligado tributario se podrá alterar el orden de embargo, si los bienes que señale garantizan el cobro de la deuda con la misma eficacia y prontitud que los que preferentemente deban ser trabados y no se causa con ello perjuicio a terceros (art. 169.4 de la LGT).

PROCEDIMIENTO **(cont.)**	No se embargarán los bienes o derechos declarados inembargables por las leyes (por ejemplo, el salario mínimo interprofesional), ni aquellos otros respecto de los que se presuma que el coste de su realización pudiera exceder el importe que normalmente podría obtenerse en su enajenación (art. 169.5 de la LGT). ✓ Diligencia de embargo y anotación preventiva Cada actuación de embargo se documentará en diligencia, que se notificará a la persona con la que se entienda dicha actuación. Efectuado el embargo de los bienes o derechos, la diligencia se notificará al obligado tributario y, en su caso, al tercero titular, poseedor o depositario de los bienes si no se hubiesen llevado a cabo con ellos las actuaciones, así como al cónyuge del obligado tributario cuando los bienes embargados sean gananciales y a los condueños o cotitulares de los mismos. (art. 170.1 de la LGT). Si los bienes embargados fueran inscribibles en un registro público, la Administración tributaria tendrá derecho a que se practique anotación preventiva de embargo en el registro correspondiente (art. 170.2 de la LGT). Contra la diligencia de embargo sólo serán admisibles los siguientes motivos de oposición (art. 170.3 de la LGT): – Extinción de la deuda o prescripción del derecho a exigir el pago. – Falta de notificación de la providencia de apremio. – Incumplimiento de las normas reguladoras del embargo. – Suspensión del procedimiento de recaudación. – El depósito de bienes embargados. Los órganos de recaudación competentes designarán, en su caso, el lugar en que los bienes embargados deban ser depositados hasta su realización, según los criterios fijados en el artículo 94 del RGR. – La enajenación de los bienes embargados. ✓ Actuaciones previas a la enajenación Antes de proceder a la enajenación de los bienes embargados, tienen lugar algunas actuaciones previas, como las dirigidas a valorarlos y a fijar el tipo a que deberán salir a subasta (se da intervención al deudor), a obtener o completar los títulos de propiedad, a formar lotes con los bienes embargados y a fijar criterios de orden para su enajenación (arts. 97 a 99 del RGR). ✓ La enajenación propiamente dicha La enajenación de los bienes embargados se realizará mediante subasta, concurso o adjudicación directa, en los casos y condiciones que fija el RGR y salvo los procedimientos específicos de realización de determinados bienes o derechos que se regulan en el RGR (art. 172.1 de la LGT). *Vid.* los artículos 100 a 107 del RGR.

PROCEDIMIENTO (cont.)	El acuerdo de enajenación únicamente podrá impugnarse si las diligencias de embargo se han tenido por notificadas de acuerdo con lo dispuesto en el apartado 3 del artículo 112 de la LGT. En ese caso, contra el acuerdo de enajenación sólo serán admisibles los motivos de impugnación contra las diligencias de embargo a los que se refiere el apartado 3 del artículo 170 de la LGT (art. 172.1 de la LGT).
	El procedimiento de apremio podrá concluir con la adjudicación de bienes a la Hacienda Pública cuando se trate de bienes inmuebles o de bienes muebles cuya adjudicación pueda interesar a la Hacienda Pública y no se hubieran adjudicado en el procedimiento de enajenación (art. 172.2 de la LGT).
	La Administración tributaria no podrá proceder a la enajenación de los bienes y derechos embargados en el curso del procedimiento de apremio hasta que el acto de liquidación de la deuda tributaria ejecutada sea firme, salvo los supuestos de fuerza mayor, bienes perecederos, bienes en los que exista un riesgo de pérdida inminente de valor o cuando el obligado tributario solicite de forma expresa su enajenación (art. 172.3 de la LGT).
	En cualquier momento anterior a la adjudicación de bienes, la Administración tributaria liberará los bienes embargados si el obligado extingue la deuda tributaria y las costas del procedimiento de apremio (art. 172.4 de la LGT).
	✓ Actuaciones posteriores a la enajenación
	Una vez realizada la enajenación, el adjudicatario podrá solicitar expresamente en el acto de la adjudicación el otorgamiento de escritura pública de venta del inmueble y se expedirá mandamiento de cancelación de las cargas posteriores con relación a los créditos ejecutados (art. 111 del RGR). Una vez cubierto el débito, intereses y costas del procedimiento, el órgano de recaudación levantará el embargo sobre los bienes no enajenados y se acordará su entrega al obligado al pago. Si finalizados los procedimientos de enajenación y, en su caso, de adjudicación a la Hacienda Pública, quedaran bienes muebles sin adjudicar, quedarán a disposición del obligado al pago (art. 112 del RGR).
	c) Terminación
	– El procedimiento de apremio termina (art. 173.1 de la LGT):
	✓ Con el pago de la cantidad debida (importe de la deuda no ingresada, intereses que se hayan devengado o se devenguen hasta la fecha del ingreso en el Tesoro, recargos del período ejecutivo y costas del procedimiento de apremio).
	✓ Con el acuerdo que declare el crédito total o parcialmente incobrable, una vez declarados fallidos todos los obligados al pago.
	✓ Con el acuerdo de haber quedado extinguida la deuda por cualquier otra causa.
	– En los casos en que se haya declarado el crédito incobrable, el procedimiento de apremio se reanudará, dentro del plazo de prescripción, cuando se tenga conocimiento de la solvencia de algún obligado al pago (art. 173.2 de la LGT).

4.2. *Ejecución subsidiaria*

Esquema 55. Ejecución subsidiaria

EJECUCIÓN SUBSIDIARIA	
CONCEPTO	La ejecución subsidiaria es un medio de ejecución forzosa consistente en la realización de la conducta o de la actuación que el acto impone por las Administraciones Públicas, "por sí o a través de las personas que determinen, a costa del obligado" (art. 102.2 de la LPACAP). Por lo tanto, lo ordenado en el acto administrativo se realiza por una persona diferente al destinatario del acto y por cuenta de éste. Cuando se aplica este medio de ejecución forzosa, las Administraciones Públicas pueden optar entre: – Realizar las actuaciones materiales por sí, por su propio personal y con sus medios materiales. – Realizar estas actuaciones a través de terceros. En este caso, existen diferentes alternativas. La Administración autora del acto y que procede a su ejecución forzosa puede confiar estas actuaciones materiales, total o parcialmente, a otra Administración o entidad pública, a una entidad instrumental dependiente de ella, a empresarios privados…
ÁMBITO DE APLICACIÓN	La ejecución subsidiaria sólo podrá utilizarse por las Administraciones Públicas "cuando se trate de actos que por no ser personalísimos puedan ser realizados por sujeto distinto del obligado" (art. 102.1 de la LPACAP). Debe tratarse, en consecuencia, de obligaciones que no necesiten ser realizadas específicamente por el destinatario del acto y que pueda llevarlas a cabo cualquier persona.
OBLIGACIONES DEL DESTINATARIO DEL ACTO ADMINISTRATIVO	En la ejecución subsidiaria, las obligaciones de hacer no personalísimas que la Administración Pública impuso al destinatario incumplidor del acto administrativo se transforman en las dos obligaciones siguientes: – La de soportar la actuación de la Administración autora del acto administrativo o de las personas que ésta determine que sean necesarias para llevar a cabo aquella obligación no personalísima que el obligado no cumplió. – La de pagar los gastos necesarios que ocasione la ejecución y el importe de los daños y perjuicios derivados del incumplimiento. En caso de que el destinatario del acto no pagase, la Administración exigirá el importe de los gastos, daños y perjuicios por la vía de apremio sobre el patrimonio (art. 102.3 de la LPACAP). Dicho importe "podrá liquidarse de forma provisional y realizarse antes de la ejecución, a reserva de la liquidación definitiva" (art. 102.4 de la LPACAP).

4.3. *Multa coercitiva*

Esquema 56. **Multa coercitiva**

MULTA COERCITIVA	
CONCEPTO	La multa coercitiva es un medio de ejecución forzosa consistente en la imposición de obligaciones pecuniarias adicionales a las establecidas por el acto administrativo que se ejecuta, que pueden reiterarse sucesivamente por lapsos de tiempo, con la finalidad de vencer la resistencia del destinatario del acto administrativo a cumplirlo y forzarlo a ello. Las Administraciones Públicas pueden, para la ejecución de determinados actos, "imponer multas coercitivas, reiteradas por lapsos de tiempo que sean suficientes para cumplir lo ordenado" (art. 103.1 de la LPACAP). Estas multas pueden ser reiteradas en el tiempo, por lo que cuanto más se demore el particular en el cumplimiento, mayor será la deuda con la Administración.
NATURALEZA	La multa coercitiva constituye un medio de ejecución forzosa y no una sanción administrativa, pese a su denominación. No se inscribe, por tanto, en el ejercicio de la potestad administrativa sancionadora, sino en el de la autotutela ejecutiva de la Administración. "La multa coercitiva es independiente de las sanciones que puedan imponerse con tal carácter y compatible con ellas" (art. 103.2 de la LPACAP). El TC, en la Sentencia 239/1988, de 14 de diciembre, ha considerado que en la multa coercitiva *"no se impone una obligación de pago con un fin represivo o retributivo por la realización de una conducta que se considere administrativamente ilícita, cuya adecuada previsión normativa desde las exigencias constitucionales del derecho a la legalidad en materia sancionadora pueda cuestionarse, sino que consiste en una medida de constreñimiento económico, adoptada previo el oportuno apercibimiento, reiterada en lapsos de tiempo y tendente a obtener la acomodación de un comportamiento obstativo del destinatario del acto a lo dispuesto en la decisión administrativa previa. No se inscriben, por tanto, estas multas en el ejercicio de la potestad administrativa sancionadora, sino en el de la autotutela ejecutiva de la Administración, previstas en nuestro ordenamiento jurídico con carácter general por el art. 102 de la LPA cuya constitucionalidad ha sido expresamente reconocida por este Tribunal (SSTC 22/1984, de 17 de febrero; 137/1985, de 17 de octubre, y 144/1987, de 23 de septiembre), y respecto de la que no cabe predicar el doble fundamento de la legalidad sancionadora del art. 25.1 C.E. a que se refiere la STC 101/1988, de 8 de junio, esto es: de la libertad (regla general de la licitud de lo no prohibido) y de seguridad jurídica (saber a qué atenerse), ya que, como se ha dicho, no se castiga una conducta realizada porque sea antijurídica, sino que se constriñe a la realización de una prestación o al cumplimiento de una obligación concreta previamente fijada por el acto administrativo que se trata de ejecutar, y mediando la oportuna conminación o apercibimiento"* (FJ 2º).

ÁMBITO DE APLICACIÓN	La multa coercitiva puede utilizarse por las Administraciones Públicas para la ejecución de sus actos administrativos en los supuestos siguientes (art. 103. 1 de la LPACAP): a) Actos personalísimos en que no proceda la compulsión directa sobre la persona del obligado. b) Actos en que, procediendo la compulsión, la Administración no la estimara conveniente. c) Actos cuya ejecución pueda el obligado encargar a otra persona.
PRESUPUESTO DE APLICACIÓN: HABILITACIÓN LEGAL ESPECÍFICA	Para la utilización de la multa coercitiva por las Administraciones Públicas es necesaria una habilitación legal específica. No basta, por tanto, con la habilitación genérica que el artículo 99 de la LPACAP efectúa atribuyendo a las Administraciones Públicas la potestad de ejecución forzosa. Tampoco es suficiente la previsión de la multa coercitiva entre los medios de ejecución forzosa en el artículo 100 de la LPACAP. En consecuencia, las Administraciones Públicas sólo podrán utilizarla cuando así se prevea específicamente en una ley. Las Administraciones Públicas sólo podrán imponer multas coercitivas para forzar al cumplimiento de los actos administrativos "Cuando así lo autoricen las leyes, y en la forma y cuantía que éstas determinen" (art. 103.1 de la LPACAP).

4.4. *Compulsión sobre las personas*

Esquema 57. Compulsión sobre las personas

COMPULSIÓN SOBRE LAS PERSONAS	
CONCEPTO	La compulsión sobre la personas es un medio de ejecución forzosa consistente en el empleo de la fuerza física frente al obligado al cumplimiento de un acto administrativo para forzarlo a cumplirlo. Constituye un medio extremo que sólo va a poder utilizarse en determinadas circunstancias legalmente establecidas, cuando no cabe otra opción.
ÁMBITO DE APLICACIÓN	Sólo pueden ser ejecutados por compulsión directa sobre las personas "los actos administrativos que impongan una obligación personalísima de no hacer o soportar" (art. 104.1 de la LPACAP). De acuerdo con el artículo 104.2 de la LPACAP, "Si, tratándose de obligaciones personalísimas de hacer, no se realizase la prestación, el obligado deberá resarcir los daños y perjuicios, a cuya liquidación y cobro se procederá en vía administrativa".

PRESUPUESTOS DE APLICACIÓN	La utilización de la compulsión sobre las personas debe ajustarse a los siguientes condicionamientos: a) Su empleo debe estar expresamente autorizado por una ley. Por lo tanto, al igual que sucede con la multa coercitiva, no basta con la cobertura proporcionada por los artículos 99 y 100 de la LPACAP, sino que es necesario, además, que una ley habilite expresamente a la Administración Pública para utilizar este medio de ejecución forzosa. b) Su utilización debe tener lugar dentro siempre del respeto debido a la dignidad de las personas y a los derechos reconocidos en la Constitución (art. 104.1 de la LPACAP).

B) Procedimientos Administrativos Especiales

Capítulo 7

El procedimiento sancionador[*]

1. INTRODUCCIÓN

La derogada LRJPAC contenía los principios básicos del procedimiento para el ejercicio de la potestad sancionadora de la Administración Pública (Capítulo II del Título IX). En cambio, el procedimiento detallado, en desarrollo de las previsiones de la LRJPAC, se hallaba en el Real Decreto 1398/1993, de 4 de agosto, que tenía carácter supletorio y, por este motivo, se aplicaba sólo en defecto de otras normas que podían regular el ejercicio de la potestad sancionadora en un ámbito o sector determinado.

La doctrina, de modo prácticamente unánime, había criticado esta técnica normativa, debido a la enorme complejidad para conocer en cada caso qué procedimiento sancionador aplicar (estatal, autonómico o local y diferente incluso en cada ámbito administrativo), así como la dificultad de establecer el verdadero alcance supletorio del citado Real Decreto 1398/1993, de 4 de agosto.

En la actual regulación se ha optado por la supresión del procedimiento especial en materia de ejercicio de la potestad sancionadora, que ahora se ve reducido a simples especialidades del procedimiento ordinario.

Su configuración se realiza de un modo híbrido y fragmentado entre ambas normas, la LPACAP y la LRJSP. En la primera se recogen las especialidades procedimentales y en la segunda se mantiene la previsión de los principios aplicables.

La LPACAP, por lo tanto, ha suprimido los procedimientos especiales, regulando simplemente como especialidades del procedimiento administrativo común las relativas a materias como la sancionadora o la responsabilidad patrimonial. Aún así, de acuerdo con la Disp. adic. primera LPACAP, las actuaciones y procedimientos sancionadores en materia tributaria y aduanera, en el orden social, en materia de tráfico y seguridad vial y en materia de extranjería, se regularán por legislación específica.

---

[*] DRA. LAURA PRESICCE, *Técnica, Associació Catalana de Municipis i Comarques (ACM) i Profesora Asociada de Derecho Administrativo, Universitat Rovira i Virgili.*

Por otro lado, para los principios de la potestad sancionadora será necesario recurrir al Capítulo III del Título Preliminar de la LRJSP. Estos principios, de acuerdo con el art. 25.4 LRJSP, no serán de aplicación en materia de contratos del sector público y de relaciones patrimoniales de las Administraciones Públicas.

2. APLICACIÓN DE LOS PRINCIPIOS Y GARANTÍAS CONSTITUCIONALES DEL ORDEN PENAL Y SU PROCESO EN LA POTESTAD SANCIONADORA Y EL PROCEDIMIENTO ADMINISTRATIVO SANCIONADOR

El Tribunal Constitucional (SSTC 18/1981 y 82/2019, entre otras) ha declarado la aplicación de los principios propios del derecho penal, con ciertas matizaciones, al derecho sancionador administrativo, puesto que ambos son manifestaciones del ordenamiento punitivo del Estado.

2.1. Los principios de la potestad sancionadora

ESQUEMA 58. Los principios de legalidad y tipicidad

LOS PRINCIPIOS DE LEGALIDAD Y TIPICIDAD	
Art. 25 LRJSP P. LEGALIDAD	• La potestad sancionadora de las Administraciones Públicas, reconocida por la Constitución, se ejercerá cuando haya sido expresamente atribuida por una norma con rango de Ley, con aplicación del procedimiento previsto para su ejercicio y de acuerdo con lo establecido en la LRJSP y LPACAP y, cuando se trate de entidades locales, de conformidad con lo dispuesto en el Título XI de la LRBRL (art. 25.1 LRJSP). • El ejercicio de la potestad sancionadora corresponde a los órganos administrativos que la tengan expresamente atribuida, por disposición de rango legal o reglamentario (art. 25.2 LRJSP).

Art. 25.1 CE + Art. 27 LRJSP P. TIPICIDAD	• Para garantizar la seguridad jurídica (art. 9.3 Cost.), las infracciones administrativas, así como las correspondientes sanciones, deben estar predeterminadas normativamente. • Nadie puede ser condenado o sancionado por acciones u omisiones que en el momento de producirse no constituyan delito, falta o infracción administrativa, según la legislación vigente en aquel momento *(nullum crimen nulla poena sine lege)*. • Solo constituyen infracciones administrativas las vulneraciones del ordenamiento jurídico previstas como infracciones por una Ley. Las infracciones administrativas se clasificarán por Ley en leves, graves y muy graves. • Únicamente por la comisión de infracciones administrativas podrán imponerse sanciones que, en todo caso, estarán delimitadas por la Ley. • De acuerdo con el TC (STC 246/1991, de 19 de diciembre), los principios de legalidad y tipicidad requieren la existencia de una ley *(lex scripta)*, que sea anterior al hecho sancionado *(lex previa)* y que describa un supuesto de hecho estrictamente determinado *(lex certa)*.
Art. 25.1 CE + Art. 27 LRJSP ALCANCE DEL P. TIPICIDAD	• A diferencia del derecho penal, en el que existe en general una reserva absoluta de ley orgánica, en el derecho administrativo sancionador se ha reconocido una reserva de ley relativa o limitada (STC 133/1999, de 15 de julio, STC 129/2003 de 30 de junio, entre otras). • Las disposiciones reglamentarias de desarrollo podrán introducir especificaciones o graduaciones al cuadro de las infracciones o sanciones establecidas legalmente que, sin constituir nuevas infracciones o sanciones, ni alterar la naturaleza o límites de las que la Ley contempla, contribuyan a la más correcta identificación de las conductas o a la más precisa determinación de las sanciones correspondientes. • Prohibición de aplicación analógica. Las normas definidoras de infracciones y sanciones no serán susceptibles de aplicación analógica.

Recordemos que la LRJSP incorpora los principios que informan el ejercicio de la potestad sancionadora, mientras que la LPACAP contiene su vertiente procedimental.

Hay que tener en cuenta, además, que las disposiciones contenidas en el Capítulo III del Título Preliminar LRJSP serán extensivas al ejercicio por las Administraciones Públicas de su potestad disciplinaria respecto del personal a su servicio, cualquiera que sea la naturaleza jurídica de la relación de empleo. En cambio, como se ha apuntado, no serán de aplicación al ejercicio por las Administraciones Públicas de la potestad sancionadora respecto de quienes estén vinculados a ellas por relaciones reguladas por la legislación de contratos del sector público o por la legislación patrimonial de las Administraciones Públicas.

ESQUEMA 59. El principio de irretroactividad

EL PRINCIPIO DE IRRETROACTIVIDAD	
Art. 9.3 CE + Art. 26 LRJSP	• El art. 9.3 de la Constitución Española (CE) establece que: "La Constitución garantiza el principio de legalidad, la jerarquía normativa, la publicidad de las normas, la irretroactividad de las disposiciones sancionadoras no favorables o restrictivas de derechos individuales, la seguridad jurídica, la responsabilidad y la interdicción de la arbitrariedad de los poderes públicos". • Asimismo, de acuerdo con el art. 26.1 LRJP "Serán de aplicación las disposiciones sancionadoras vigentes en el momento de producirse los hechos que constituyan infracción administrativa". • La retroactividad de las normas sancionadoras favorables al infractor no está recogida en la Constitución, no obstante, la jurisprudencia la ha venido entendiendo incluida a *sensu contrario* en el art. 9.3 CE. • Se reconoce en cambio expresamente en el art. 26.2 LRJSP. • La irretroactividad de las disposiciones sancionadoras vigentes desfavorables o irretroactividad *in peius* (art. 9.3 CE) tiene su envés en la retroactividad de las disposiciones sancionadoras favorables o retroactividad *in bonus* (art 26.2 LRJSP). • Las disposiciones sancionadoras producirán efecto retroactivo en cuanto favorezcan al presunto infractor o al infractor, tanto en lo referido a la tipificación de la infracción como a la sanción y a sus plazos de prescripción, incluso respecto de las sanciones pendientes de cumplimiento al entrar en vigor la nueva disposición. • En cambio, la retroactividad *in bonus* no permite revisar sanciones firmes, ya ejecutadas, ni tampoco sentencias firmes.

ESQUEMA 60. El principio de responsabilidad

	EL PRINCIPIO DE RESPONSABILIDAD
Art. 28 LRJSP	• Conforme dispone el art. 28.1 LRJSP, sólo pueden ser sancionadas por hechos constitutivos de infracción administrativa las personas físicas y jurídicas que resulten responsables de los mismos a título de dolo o culpa, así como los grupos de afectados, las uniones y entidades sin personalidad jurídica y los patrimonios independientes o autónomos, cuando la ley les reconozca capacidad de obrar. Esta previsión es análoga a lo dispuesto en el art. 3.c) LPACAP respecto al concepto de interesado y de la legitimación en el procedimiento administrativo. • La LRJSP reconoce la responsabilidad solamente a título de dolo o culpa. Se suprime, en cambio, la expresión "a un título de simple inobservancia", contenida en el art. 130.1 LRJPAC. De esta forma, se recoge en la LRJSP la doctrina jurisprudencial, según la cual no resulta admisible la responsabilidad sin la concurrencia de dolo ni de culpa. Así, queda prohibida la aplicación de la responsabilidad objetiva en el Derecho Administrativo sancionador, y la sanción que se aplique a los responsables de la infracción lo deberá ser conforme a criterios de imputación de dolo o culpa. • Pueden ser sujetos responsables personas físicas o jurídicas. Pueden además existir una pluralidad de sujetos responsables de manera conjunta por la misma infracción. Cuando el cumplimiento de una obligación establecida por una norma con rango de Ley corresponda a varias personas conjuntamente, ellas responderán de forma solidaria de las infracciones que, en su caso, se cometan y de las sanciones que se impongan (responsabilidad solidaria de los infractores). No obstante, cuando la sanción sea pecuniaria y sea posible, se individualizará en la resolución en función del grado de participación de cada responsable. • El art. 28.4 LRJSP introduce la posibilidad de tipificar como infracción el incumplimiento de la obligación de prevenir la comisión de infracciones administrativas por quienes se encuentren sujetos a una relación de dependencia o vinculación. De la misma manera, se podrán prever los supuestos en que determinadas personas responderán del pago de las sanciones pecuniarias impuestas a quienes de ellas dependan o estén vinculadas. • Finalmente, además de la responsabilidad administrativa derivada por la comisión de la infracción, será posible exigir al infractor la reposición de la situación alterada por el mismo a su estado originario, así como con la indemnización por los daños y perjuicios causados, que será determinada y exigida por el órgano al que corresponda el ejercicio de la potestad sancionadora.

Esquema **61.** El principio de proporcionalidad

EL PRINCIPIO DE PROPORCIONALIDAD	
Art. 29 LRJSP	• Las sanciones administrativas, sean o no de naturaleza pecuniaria, en ningún caso podrán implicar, directa o subsidiariamente, la privación de libertad. • El establecimiento de sanciones pecuniarias deberá prever que la comisión de las infracciones tipificadas no resulte más beneficiosa para el infractor que el cumplimiento de las normas infringidas. • El principio de proporcionalidad se refiere, *in primis*, a la regulación, por parte del legislador, de las infracciones y sanciones según su gravedad. • En la determinación normativa del régimen sancionador, así como en la imposición de sanciones por parte de las Administraciones Públicas se deberá observar la debida idoneidad y necesidad de la sanción a imponer y su adecuación a la gravedad del hecho constitutivo de la infracción. • En segundo lugar, el principio de proporcionalidad se refiere a la graduación de la sanción, a la hora de aplicarla. La graduación de la sanción considerará especialmente los siguientes criterios: a) El grado de culpabilidad o la existencia de intencionalidad. b) La continuidad o persistencia en la conducta infractora. c) La naturaleza de los perjuicios causados. d) La reincidencia, por comisión en el término de un año de más de una infracción de la misma naturaleza cuando así haya sido declarado por resolución firme en vía administrativa. • El órgano competente para resolver podrá imponer la sanción en el grado inferior cuando lo justifique la debida adecuación entre la sanción que deba aplicarse con la gravedad del hecho constitutivo de la infracción y las circunstancias concurrentes. • La LRJSP prevé que, cuando de la comisión de una infracción derive necesariamente la comisión de otra u otras, se deberá imponer únicamente la sanción correspondiente a la infracción más grave cometida. Además, será sancionable, como infracción continuada, la realización de una pluralidad de acciones u omisiones que infrinjan el mismo o semejantes preceptos administrativos, en ejecución de un plan preconcebido o aprovechando idéntica ocasión. De esta forma se sustituye el concepto "reiteración" contenido en la antigua LRJPAC (art. 131) por el de "continuidad o persistencia en la conducta infractora" del art. 29.3.b) de la LRJSP, conforme a la jurisprudencia del Tribunal Supremo (entre otras las SSTS de 23 de marzo de 2005 (recurso n. 4777/2002) y de 30 de septiembre de 2011 (recurso n. 566/2009).

Esquema **62. La prescripción**

	LA PRESCRIPCIÓN
Art. 30 LRJSP	<ul><li>Las infracciones y sanciones prescribirán según lo dispuesto en las leyes que las establezcan. Si estas leyes no fijan plazos de prescripción, se aplicará la siguiente regulación supletoria: las *infracciones* muy graves prescribirán a los tres años, las graves a los dos años y las leves a los seis meses; las *sanciones* impuestas por faltas muy graves prescribirán a los tres años, las impuestas por faltas graves a los dos años y las impuestas por faltas leves al año.</li><li>El plazo de prescripción de las *infracciones* se contará desde el día en que la infracción se hubiera cometido. En el caso de infracciones continuadas o permanentes, desde que finalizó la conducta infractora.<ul><li>El plazo de la prescripción se interrumpe con la iniciación, con conocimiento del interesado, de un procedimiento administrativo de naturaleza sancionadora. Sin embargo, si el expediente sancionador estuviera paralizado durante más de un mes por causa no imputable al presunto responsable, el plazo de prescripción se reiniciaría.</li></ul></li><li>El plazo de prescripción de las *sanciones* comenzará a contarse desde el día siguiente a aquel en que sea ejecutable la resolución por la que se impone la sanción o haya transcurrido el plazo para recurrirla.<ul><li>Interrumpirá la prescripción la iniciación, con conocimiento del interesado, del procedimiento de ejecución, volviendo a transcurrir el plazo si aquél está paralizado durante más de un mes por causa no imputable al infractor.</li></ul></li><li>En el caso de desestimación presunta del recurso de alzada interpuesto contra la resolución por la que se impone la sanción, el plazo de prescripción de la sanción comenzará a contarse desde el día siguiente a aquel en que finalice el plazo legalmente previsto para la resolución de dicho recurso. Este precepto debe completarse con lo establecido en el art. 98 LPACAP. De tal manera, se mantiene "el criterio de la efectividad de la resolución sancionadora en relación con su firmeza en vía administrativa, para el computo del plazo de prescripción de la sanción impuesta" (SSTS 1627/2020, de 30 de noviembre y 904/2021, de 23 de junio).<ul><li>Aunque la norma no haga expresamente referencia al recurso potestativo de reposición, el TS ha establecido que se aplicaron analogía también a este recurso, "en una interpretación conforme a su finalidad y teniendo en cuenta la identidad de situaciones y contenidos de ambos recursos" (SSTS 1627/2020, de 30 de noviembre).</li><li>De tal manera, la nueva LRJSP resuelve el problema de las sanciones que han sido objeto de un recurso en vía administrativa y que la Administración no resuelve. De esta forma, la infracción puede prescribir durante la sustanciación del recurso de alzada, si su resolución se demora más allá del plazo legalmente previsto (STS 603/2021). Así recoge la doctrina del Tribunal Constitucional (STC 37/2012, de 19 de marzo) que, pese a considerar que esta situación no lesiona derechos fundamentales, la califica de indeseable.</li></ul></li></ul>

Art. 26.2 LRJSP	• El art. 26.2 LRJSP establece que: "las disposiciones sancionadoras producirán efecto retroactivo en cuanto favorezcan al presento infractor o al infractor (…) en lo referido (…) a sus plazos de prescripción". Con ello incorpora de nuevo un criterio jurisprudencial ya consagrado [STC 63/2005, de 14 de marzo, entre otras], conforme al cual la prescripción puede ser considerada como una institución de naturaleza sustantiva o material, por lo que la aplicación del principio de retroactividad de la norma posterior más favorable se debe entender referida no sólo a la tipificación de la infracción y su sanción, sino también al nuevo plazo de prescripción, si resulta ser inferior.

Esquema **63. Principio *non bis in idem***

CONCURRENCIA DE SANCIONES – PRINCIPIO NON BIS IN IDEM	
Art. 31 LRJSP	• El principio *non bis in idem*, literalmente "no dos veces por lo mismo", resulta directamente conectado a los principios de proporcionalidad y tipicidad. • No podrán sancionarse los hechos que lo hayan sido penal o administrativamente, en los casos en que se aprecie identidad del sujeto, hecho y fundamento. Es decir, no pueden imponerse dos (o más) sanciones al mismo sujeto por la misma infracción y con el mismo fundamento, ya sean ambas administrativas o una administrativa y una penal. La aplicación del principio únicamente es posible cuando concurra esa triple identidad. • No se da entidad subjetiva cuando en uno de los procedimientos se sanciona a la persona jurídica (empresario) y en el otro al representante legal de la empresa (STC 70/2012, de 16 de mayo; STS 469/2020).
EXCEPCIONES	• Cuando un órgano de la Unión Europea hubiera impuesto una sanción por los mismos hechos, y siempre que no concurra la identidad de sujeto y fundamento, el órgano competente para resolver deberá tenerla en cuenta a efectos de graduar la que, en su caso, deba imponer, pudiendo minorarla sin perjuicio de declarar la comisión de la infracción. • Relaciones de especial sujeción: en caso de ejercicio por parte de las Administraciones Públicas de su potestad disciplinaria respecto al personal a su servicio y de quienes están vinculados a ellas por una relación contractual, cuando el fundamento es distinto, es decir cuando los bienes jurídicos protegidos son distintos.
NOVEDADES	• En el apartado 2 del artículo 53 de la LPACAP, se recogen de forma separada los derechos de los interesados en los procedimientos sancionadores. Además, el apartado 4 del artículo 77 de la LPACAP reproduce lo dispuesto en los derogados arts. 137. 2 de la LRJPAC y 7.3 del RPPS con el fin de incorporar al texto la vertiente procesal del principio *non bis in idem*: "En los procedimientos de carácter sancionador, los hechos declarados probados por resoluciones judiciales penales firmes vincularán a las Administraciones Públicas respecto de los procedimientos sancionadores que substancien".

2.2. *Los principios del procedimiento sancionador*

Esquema **64.** La garantía del procedimiento

LA GARANTÍA DEL PROCEDIMIENTO	
Art. 24 CE	• "Todas las personas tienen derecho a obtener la tutela efectiva de los jueces y tribunales en el ejercicio de sus derechos e intereses legítimos, sin que, en ningún caso, pueda producirse indefensión". • El TC ha declarado que aunque el art. 24 CE, relativo al derecho a obtener una tutela judicial efectiva de los jueces y tribunales, no alude expresamente al ejercicio de la potestad sancionadora por parte de la Administración Pública, no obstante, las garantías procesales establecidas en dicho precepto son de aplicación a los procedimientos administrativos sancionadores, dado que, como se ha analizado, los principios del derecho penal son aplicables también, con ciertos matices, al derecho sancionador administrativo.
Art. 63 LPACAP	• Órganos competentes: los procedimientos de naturaleza sancionadora se iniciarán siempre de oficio por acuerdo del órgano competente. Se considerará que un órgano es competente para iniciar el procedimiento cuando así lo determinen las normas reguladoras del mismo. • Separación entre instrucción y resolución: se establecerá la debida separación entre la fase instructora y la sancionadora, que se encomendará a órganos distintos. Esta previsión intenta garantizar los principios de imparcialidad y objetividad. • A ambos se podrán aplicar las normas referidas a la abstención y recusación (arts. 23 y 24 LRJSP). Por este motivo, entre los derechos del presunto responsable, el art. 53.2 a) establece el derecho a conocer la identidad del instructor y de la autoridad competente para imponer la sanción y de la norma que atribuya tal competencia. • En ningún caso se podrá imponer una sanción sin que se haya tramitado el oportuno procedimiento. • No se podrán iniciar nuevos procedimientos de carácter sancionador por hechos o conductas tipificadas como infracciones en cuya comisión el infractor persista de forma continuada, en tanto no haya recaído una primera resolución sancionadora, con carácter ejecutivo.
CONSECUENCIAS	• La "omisión total y absoluta de los requisitos esenciales que definen un procedimiento sancionador" acarrea la nulidad y retroacción de las actuaciones. [Art 47.1.e) LPACAP y STS (Sala de lo Contencioso-Administrativo, Sección 3ª) de 19 de julio 1999].

Esquema 65. Los derechos del imputado

LOS DERECHOS DEL IMPUTADO	

INTEGRACIÓN GARANTÍAS GENERALES	• El articulado general de la LPACAP integra los procedimientos sancionadores y de responsabilidad patrimonial. Se pretende de esta manera:
	   o La simplificación procedimental.
	   o Establecer un marco general respecto de las garantías procedimentales generales aplicables por lo tanto también a la tramitación de estos procedimientos sancionadores y de responsabilidad patrimonial, que, como es sabido, se regulaban hasta ahora en la LRJPAC en partes diferenciadas del marco general de la referida Ley.
	• El Título IV de la LPACAP, "De las disposiciones sobre el procedimiento administrativo común", contiene en su Capítulo I una regulación novedosa sobre garantías del procedimiento, en un solo artículo (el art. 53), que regula y desarrolla los derechos del interesado en el procedimiento administrativo.

Art. 53 LPACAP	Este artículo recoge el catálogo de derechos del interesado en el procedimiento administrativo. Sin ánimo de enumerarlos exhaustivamente, destacaremos a efectos del procedimiento sancionador, los siguientes: • A conocer, en cualquier momento, el estado de la tramitación de los procedimientos en los que tengan la condición de interesados; el sentido del silencio administrativo que corresponda, en caso de que la Administración no dicte ni notifique resolución expresa en plazo; el órgano competente para su instrucción, en su caso, y resolución; los actos de trámite dictados. Asimismo, tendrán derecho a acceder y a obtener copia de los documentos contenidos en los citados procedimientos. • A identificar a las autoridades y al personal al servicio de las Administraciones Públicas bajo cuya responsabilidad se tramiten los procedimientos. • A formular alegaciones, utilizar los medios de defensa admitidos por el Ordenamiento Jurídico, y a aportar documentos en cualquier fase del procedimiento anterior al trámite de audiencia, que deberán ser tenidos en cuenta por el órgano competente al redactar la propuesta de resolución • A actuar asistidos de asesor cuando lo consideren conveniente en defensa de sus intereses. • Los demás derechos reconocidos por el artículo 13 de la LPACAP.

Art. 53.2 LPACAP	• En el caso de procedimientos administrativos de naturaleza sancionadora, el inculpado o presunto responsable, tendrá, además de los derechos previstos en el apartado anterior, los siguientes derechos:
	  o A ser notificado de los hechos que se le imputen, de las infracciones que tales hechos puedan constituir y de las sanciones que, en su caso, se le pudieran imponer, así como de la identidad del instructor, de la autoridad competente para imponer la sanción y de la norma que atribuya tal competencia.
	  o A la presunción de no existencia de responsabilidad administrativa mientras no se demuestre lo contrario (derecho a la presunción de inocencia).

JURISPRUDENCIA CONSTITUCIONAL	• Derecho a obtener resolución en un plazo razonable (STC 24/1981, de 14 de julio). • Derecho a no declarar contra sí mismo y derecho a no declararse culpable (art. 24 CE). Sin embargo, los derechos a no declarar contra sí mismos y no declararse culpables en su conexión con el derecho de defensa no consagran un derecho fundamental a mentir (STC 142/2009, de 15 de junio).

2.3. Especial tratamiento del derecho a la presunción de inocencia

El artículo 77 de la LPACAP reproduce con matices el contenido del artículo 137 de la LRJPAC y 17 del RPPS; asimismo, el artículo 53 de la LPACAP, como hemos visto anteriormente, establece el derecho a la presunción de inocencia, es decir, que los procedimientos sancionadores respetarán la presunción de no existencia de responsabilidad administrativa mientras no se demuestre lo contrario.

Esquema 66. La presunción de inocencia

LA PRESUNCIÓN DE INOCENCIA	
CONCEPTO	• Como define el profesor SANTAMARÍA PASTOR, el principio según el cual todo inculpado debe ser entendido como presuntamente inocente de la conducta ilícita que se le atribuye, mientras su autoría y culpabilidad no queden cumplidamente acreditadas, a lo largo del procedimiento que se siga es, sin lugar a dudas, el principio más importante de todos los que el constitucionalismo ha aportado frente al sistema represivo del Estado absoluto. • No resulta posible exponer aquí el significado completo de este principio (de mucha complejidad, como pone de manifiesto la numerosa jurisprudencia constitucional dictada en aplicación del mismo). Sin embargo, resulta muy importante poner de manifiesto que este principio opera plenamente en el ámbito sancionador administrativo, como el TC ha señalado reiteradamente [por ejemplo en sentencias como STC 18/1982, de 18 de junio; STC 283/1994 (Sala Segunda) de 24 de octubre; o la más reciente STC 319/2006 (Sala Segunda), de 15 de noviembre].
NATURALEZA	• La presunción de inocencia es calificada como derecho fundamental por el art. 24 CE y por el art. 6.2 del Convenio Europeo de Derechos Humanos, con la consecuencia de que vincula todos los poderes públicos y es esgrimible en recurso de amparo. • Es un principio esencial en materia de procedimiento sancionador administrativo.
¿CÓMO SE DESTRUYE?	• Se trata de una presunción *iuris tantum* y la carga de la prueba recae sobre la Administración Pública (STS 755/2012, de 6 de febrero). • De acuerdo con el TC "este derecho implica que la carga de la prueba de los hechos constitutivos de infracción recae sobre la Administración, no pudiendo imponerse sanción alguna que no tenga fundamento en una previa actividad probatoria lícita sobre la cual el órgano competente pueda fundamentar un juicio razonable de culpabilidad, con prohibición absoluta de utilizar pruebas obtenidas con vulneración de derechos fundamentales" (STC 66/2007, de 27 de marzo y STS 3 de junio 2008, rec. 146/04). • La Administración Pública puede utilizar cualquier tipo de prueba, incluso las pruebas indiciarias (STC 172/2005, de 20 de junio). • No basta la mera sospecha para enervar la presunción de inocencia (STC 45/1997, de 11 de marzo). • No basta la conducta del imputado negándose a colaborar con la Administración (STC 45/1997, de 11 de marzo; STS 27 de noviembre 2011, rec. 2515/2009). • No puede ser exigible al inculpado una *probatio diabolica* de los hechos negativos (STC 45/1997, de 11 de marzo). • STC 172/2005 de 20 de junio: "[...] La presunción de inocencia sólo se destruye cuando un Tribunal independiente, imparcial y establecido por la Ley declara la culpabilidad de una persona tras un proceso celebrado con todas las garantías [...], al cual se aporte una suficiente prueba de cargo [...]".

3. Procedimiento para el ejercicio de la potestad sancionadora

3.1. Normativa aplicable

Esquema 67. El procedimiento sancionador

En la LPACAP se ha optado por la supresión del procedimiento especial en materia de ejercicio de la potestad sancionadora, que ahora se ve reducido a simples especialidades del procedimiento ordinario. Como se indicaba anteriormente, se pretendía, de esta forma, una simplificación procedimental.
El Título IV de la LPACAP, llamado "De las disposiciones sobre el procedimiento administrativo común", contiene en su Capítulo I una regulación novedosa sobre garantías del procedimiento: en concreto el artículo 53 LPACAP regula y desarrolla los derechos del interesado en el procedimiento administrativo.
La LPACAP establece una serie de actuaciones y procedimientos que se regirán por su normativa específica y supletoriamente por lo previsto en la Ley, entre las que cabe destacar (como ya establecía la LRJPAC):   o Las de aplicación de los tributos y revisión en materia tributaria y aduanera, las de gestión, inspección, liquidación, recaudación, impugnación y revisión en materia de Seguridad Social y Desempleo, así como las actuaciones y procedimientos sancionadores en materia tributaria y aduanera, en el orden social, en materia de tráfico y seguridad vial y en materia de extranjería y asilo (Disp. Ad. Primera).
Como veremos, además, una de las novedades más significativa de la LPACAP es la introducción de la posibilidad de tramitación simplificada del procedimiento sancionador (art. 96.5). Podrá acordarse esta tramitación cuando el órgano competente para iniciar el procedimiento considere que, de acuerdo con lo previsto en su normativa reguladora, existen elementos de juicio suficientes para calificar la infracción como leve.

4. LAS FASES DEL PROCEDIMIENTO SANCIONADOR TIPO

ESQUEMA 68. Actuaciones previas

ACTUACIONES PREVIAS		
Art. 55 LPACAP	**MOMENTO**	• En los procedimientos sancionadores ordinarios pueden darse unas actuaciones anteriores al acuerdo de iniciación. • Con anterioridad al acuerdo de iniciación, el órgano competente podrá abrir un período de información o actuaciones previas con el objetivo de conocer las circunstancias del caso concreto y la conveniencia o no de iniciar el procedimiento.
	OBJETO	• Determinar con carácter preliminar si concurren circunstancias que justifiquen tal iniciación. Para los procedimientos de naturaleza sancionadora las actuaciones previas se orientarán a determinar, con la mayor precisión posible, los hechos susceptibles de motivar la incoación del procedimiento, la identificación de la persona o personas que pudieran resultar responsables y las circunstancias relevantes que concurran en unos y otros (Art. 55.2 LPACAP).
	ÓRGANO COMPETENTE Y PLAZO	• Las actuaciones previas serán realizadas por los órganos que tengan atribuidas funciones de investigación, averiguación e inspección en la materia y, en defecto de éstos, por la persona u órgano administrativo que se determine por el órgano competente para la iniciación o resolución del procedimiento. • Las actuaciones previas no serán necesarias si los indicios de infracción son claros *a priori*. • Las actuaciones previas **no** forman propiamente parte del procedimiento sancionador, más bien son un antecedente del mismo. Constituyen una actuación administrativa preliminar y tratan de averiguar si existe una base seria para abrir el procedimiento sancionador propiamente dicho. • Por este motivo, "el cómputo del plazo de que dispone la Administración para resolver se inicia con el acuerdo de iniciación del expediente, quedando por ello excluido de dicho cómputo el periodo de tiempo transcurrido con anterioridad a la incoación del expediente, esto es, desde la fecha de la noticia del hecho infractor y, en su caso, el empleado en las denominadas actuaciones previas" (STS 618/2019, de 13 de mayo).

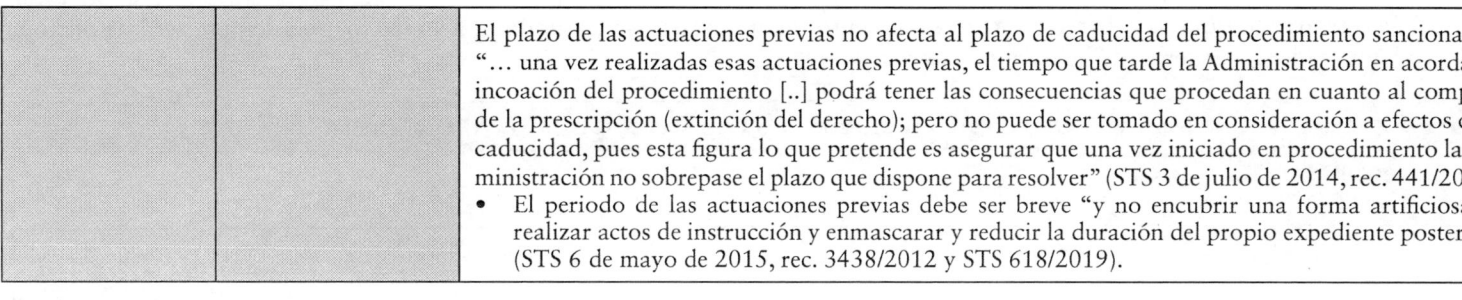

El plazo de las actuaciones previas no afecta al plazo de caducidad del procedimiento sancionador: "... una vez realizadas esas actuaciones previas, el tiempo que tarde la Administración en acordar la incoación del procedimiento [..] podrá tener las consecuencias que procedan en cuanto al computo de la prescripción (extinción del derecho); pero no puede ser tomado en consideración a efectos de la caducidad, pues esta figura lo que pretende es asegurar que una vez iniciado en procedimiento la Administración no sobrepase el plazo que dispone para resolver" (STS 3 de julio de 2014, rec. 441/2012).

• El periodo de las actuaciones previas debe ser breve "y no encubrir una forma artificiosa de realizar actos de instrucción y enmascarar y reducir la duración del propio expediente posterior" (STS 6 de mayo de 2015, rec. 3438/2012 y STS 618/2019).

ESQUEMA 69. Iniciación del procedimiento administrativo

• Sobre la iniciación del procedimiento administrativo, el art. 58, que regula la iniciación de oficio, sigue a la letra la LRJPAC.

• Son enteramente nuevos:

✓ El art. 59 referido al inicio del procedimiento "a propia iniciativa".

✓ El art. 60 referido al inicio del procedimiento como consecuencia de orden superior, definiendo el concepto y haciendo referencia a la particularidad de los procedimientos en materia sancionadora. En los procedimientos de naturaleza sancionadora, la orden expresará, en la medida de lo posible, la persona o personas presuntamente responsables; las conductas o hechos que pudieran constituir infracción administrativa y su tipificación; así como el lugar, la fecha, fechas o período de tiempo continuado en que los hechos se produjeron.

✓ El art. 61 sobre el inicio del procedimiento por petición razonada de otros órganos, con una referencia específica sobre los procedimientos de naturaleza sancionadora. En los procedimientos de naturaleza sancionadora, las peticiones deberán especificar, en la medida de lo posible, la persona o personas presuntamente responsables; las conductas o hechos que pudieran constituir infracción administrativa y su tipificación; así como el lugar, la fecha, fechas o período de tiempo continuado en que los hechos se produjeron.

✓ El art. 62 sobre el inicio del procedimiento por denuncia, determinando las exigencias del contenido de esas denuncias y las ventajas que puede tener el denunciante que haya participado en la comisión de una infracción.

✓ Los arts. 63 y 64 que se refieren a los procedimientos de naturaleza sancionadora, a su inicio, que siempre será de oficio y al contenido del acuerdo de iniciación del procedimiento.

INICIACIÓN DE LOS PROCEDIMIENTOS DE NATURALEZA SANCIONADORA		
FORMAS DE INICIACIÓN		• Siempre DE OFICIO.
ESPECIALIDADES EN EL INICIO DE LOS PROCEDIMIENTOS DE NATURALEZA SANCIONADORA	**Art. 63 LPACAP**	• Los procedimientos de naturaleza sancionadora se iniciarán siempre de oficio por acuerdo del órgano competente y establecerán la debida separación entre la fase instructora y la sancionadora, que se encomendará a órganos distintos. ✓ Se considerará que un órgano es competente para iniciar el procedimiento cuando así lo determinen las normas reguladoras del mismo. ✓ STS 618/2019, de 13 de mayo: la fecha de inicio del procedimiento es la del acuerdo de iniciación y todas las diligencias realizadas antes de dicho acuerdo no forman parte del procedimiento sancionador. • No se podrán iniciar nuevos procedimientos de carácter sancionador al mismo sujeto, por hechos o conductas tipificadas como infracciones, en cuya comisión el infractor persista de forma continuada, hasta que no se haya resuelto el primer procedimiento sancionador, con carácter ejecutivo.

ESQUEMA 70. **Reglas especiales relativas a las denuncias**

La denuncia es el acto por el que cualquier persona, en cumplimiento o no de una obligación legal, pone en conocimiento de un órgano administrativo la existencia de un determinado hecho que pudiera justificar la iniciación de oficio de un procedimiento administrativo. La presentación de una denuncia no confiere, por sí sola, la condición de interesado en el procedimiento.

REGLAS ESPECIALES RELATIVAS A LAS DENUNCIAS		
CONTENIDO	**Art. 62.2 LPACAP**	• Las denuncias deberán expresar la identidad de la persona o personas que las presentan (por lo cual no pueden ser anónimas) y el relato de los hechos que se ponen en conocimiento de la Administración. • Cuando dichos hechos pudieran constituir una infracción administrativa, recogerán la fecha de su comisión y, cuando sea posible, la identificación de los presuntos responsables.
ACTITUD DEL ÓRGANO DESTINATARIO DE LA DENUNCIA	**Art. 62.2 LPACAP**	• El denunciante no tendrá derecho a que se le comunique si se abrió o no procedimiento sancionador, salvo que las normas lo dispongan expresamente. • En el ámbito sancionador se consagran legalmente las limitaciones de los derechos del denunciante, que solo alcanzará al derecho a la comunicación de la incoación «cuando las normas reguladoras del procedimiento así lo prevean» (art. 64.1 LPACAP). • Cuando la denuncia invocara un perjuicio en el patrimonio de las Administraciones Públicas la no iniciación del procedimiento deberá ser motivada y se notificará a los denunciantes la decisión de si se ha iniciado o no el procedimiento. • En materia sancionadora cuando "el denunciante haya participado en la comisión de esta infracción y existan otros infractores, el órgano competente para resolver el procedimiento deberá eximir al denunciante del pago de la multa que le correspondería u otro tipo de sanción de carácter no pecuniario, cuando sea el primero en aportar elementos de prueba que permitan iniciar el procedimiento o comprobar la infracción, siempre y cuando en el momento de aportarse aquellos no se disponga de elementos suficientes para ordenar la misma y se repare el perjuicio causado. Asimismo, el órgano competente para resolver deberá reducir el importe del pago de la multa que le correspondería o, en su caso, la sanción de carácter no pecuniario, cuando no cumpliéndose alguna de las condiciones anteriores, el denunciante facilite elementos de prueba que aporten un valor añadido significativo respecto de aquellos de los que se disponga". En ambos casos será necesario que el denunciante cese en la participación de la infracción y no haya destruido elementos de prueba relacionados con el objeto de la denuncia.

Esquema 71. El acuerdo de iniciación

EL ACUERDO DE INICIACIÓN		
CONTENIDO MÍNIMO	**Art. 64.2 LPACAP**	a) Identificación de la persona o personas presuntamente responsables. b) Los hechos que motivan la incoación del procedimiento, su posible calificación y las sanciones que pudieran corresponder, sin perjuicio de lo que resulte de la instrucción. c) Identificación del instructor y, en su caso, Secretario del procedimiento, con expresa indicación del régimen de recusación de los mismos. d) Órgano competente para la resolución del procedimiento y norma que le atribuya tal competencia, indicando la posibilidad de que el presunto responsable pueda reconocer voluntariamente su responsabilidad, con los efectos previstos en el artículo 85 LPACAP. e) Medidas de carácter provisional que se hayan acordado por el órgano competente para iniciar el procedimiento sancionador, sin perjuicio de las que se puedan adoptar durante el mismo de conformidad con el artículo 56 LPACAP. f) Indicación del derecho a formular alegaciones y a la audiencia en el procedimiento y de los plazos para su ejercicio, así como indicación de que, en caso de no efectuar alegaciones en el plazo previsto sobre el contenido del acuerdo de iniciación, éste podrá ser considerado propuesta de resolución cuando contenga un pronunciamiento preciso acerca de la responsabilidad imputada. • Excepcionalmente, cuando en el momento de dictar el acuerdo de iniciación no existan elementos suficientes para la calificación inicial de los hechos que motivan la incoación del procedimiento, la citada calificación podrá realizarse en una fase posterior mediante la elaboración de un Pliego de cargos, que deberá ser notificado a los interesados.
COMUNICACIÓN DE LA INICIACIÓN DEL PROCEDIMIENTO AL DENUNCIANTE Y AL INTERESADO	**Art. 64.1 LPACAP**	• El acuerdo de iniciación se comunicará al instructor del procedimiento, con traslado de cuantas actuaciones existan al respecto, y se notificará a los interesados, entendiendo en todo caso por tal al inculpado. • La incoación se comunicará al denunciante cuando las normas reguladoras del procedimiento así lo prevean.

IRRECURRIBILIDAD DEL ACTO DE INICIACIÓN	• ES UN ACTO DE MERO TRÁMITE (la jurisprudencia que avala esta afirmación es abundante, se pueden ver entre otras, las STS de 5 de julio de 1986, STS de 26 de enero de 1999, STS de 27 de abril 2001).

Esquema 72. Ordenación del procedimiento

ORDENACIÓN DEL PROCEDIMIENTO	
IMPULSO	El impulso sigue siendo de oficio, respetando los principios de transparencia y publicidad (ahora electrónicamente conforme el art 71.1 LPACAP)
CONCENTRACIÓN DE TRÁMITES	Implica, de acuerdo con el principio de simplificación administrativa, que se acordarán en un solo acto todos los trámites que, por su naturaleza, admitan un impulso simultáneo y no sea obligado su cumplimiento sucesivo.
RESPONSABILIDAD	Las personas designadas como órgano instructor o, en su caso, los titulares de las unidades administrativas que tengan atribuida tal función serán responsables directos de la tramitación del procedimiento y, en especial, del cumplimiento de los plazos establecidos.
CUMPLIMIENTO DE TRÁMITES	Los trámites que deban ser cumplimentados por los interesados deberán realizarse en el plazo de diez días a partir del siguiente al de la notificación del correspondiente acto, salvo que la norma correspondiente fije plazo distinto. En cualquier momento del procedimiento, cuando la Administración considere que alguno de los actos de los interesados no reúne los requisitos necesarios, lo pondrá en conocimiento de su autor, concediéndole un plazo de diez días para cumplimentarlo.

ESQUEMA 73. **Instrucción del procedimiento sancionador**

El capítulo IV se refiere a la "Instrucción del procedimiento" y comprende los arts. 75 a 83 LPACAP. El instructor será el responsable de la tramitación del procedimiento. La instrucción puede dividirse en cinco fases:

INSTRUCCIÓN DEL PROCEDIMIENTO SANCIONADOR
NORMATIVA APLICABLE: Arts. 75 a 83 LPACAP

1. ACTUACIONES Y ALEGACIONES DE LOS INTERESADOS

- Ninguna innovación particular contiene la LPACAP respecto al texto de la LRJPAC, únicamente la relativa a su presentación por medios telemáticos. La formalización por esta vía aparece prevista con carácter preceptivo para todos los actos de instrucción en el artículo 75.
- Los interesados podrán, en cualquier momento del procedimiento anterior al trámite de audiencia, aducir alegaciones y aportar documentos u otros elementos de juicio. Estos serán tenidos en cuenta por el órgano competente al redactar la correspondiente propuesta de resolución.
- El plazo varía según las normas especiales aplicables en cada caso.

2. ACTUACIONES INVESTIGADORAS

- Simultáneamente, el instructor del procedimiento realizará de oficio cuantas actuaciones resulten necesarias para el examen de los hechos, recabando los datos e informaciones que sean relevantes para determinar, en su caso, la existencia de responsabilidades susceptibles de sanción.
- Los actos de instrucción necesarios para la determinación, conocimiento y comprobación de los hechos en virtud de los cuales deba pronunciarse la resolución, se realizarán de oficio y a través de medios electrónicos, por el órgano que tramite el procedimiento, sin perjuicio del derecho de los interesados a proponer aquellas actuaciones que requieran su intervención o constituyan trámites legal o reglamentariamente establecidos.
- Las aplicaciones y sistemas de información utilizados para la instrucción de los procedimientos deberán garantizar el control de los tiempos y plazos, la identificación de los órganos responsables y la tramitación ordenada de los expedientes, así como facilitar la simplificación y la publicidad de los procedimientos.
- Los actos de instrucción que requieran la intervención de los interesados habrán de practicarse en la forma que resulte más conveniente para ellos y sea compatible, en la medida de lo posible, con sus obligaciones laborales o profesionales.
- En cualquier caso, el órgano instructor adoptará las medidas necesarias para lograr el pleno respeto a los principios de contradicción y de igualdad de los interesados. en el procedimiento.

3. PRUEBA (Art. 77 LPACAP)	
(Se remite a la regulación general - Cap. 2)	
PERÍODO	• No superior a 30 días ni inferior a 10 días. – Cuando lo considere necesario, el instructor, a petición de los interesados, podrá decidir la apertura de un período extraordinario de prueba por un plazo no superior a diez días.
ESPECIALIDADES PROCEDIMIENTO SANCIONADOR	• Vinculación de la Administración a los hechos declarados probados en vía judicial. En los procedimientos de carácter sancionador, los hechos declarados probados por resoluciones judiciales penales firmes vincularán a las Administraciones Públicas respecto de los procedimientos sancionadores que substancien. [Asimismo, STS 77/1983, de 3 de octubre y STS 107/1989, de 8 de junio].
NOVEDADES	• Presunción de certeza *iuris tantum* de los documentos formalizados que tengan condición de autoridad (art. 77.5 LPACAP). • Carácter preceptivo de los informes a emitir por los órganos, organismos públicos o Entidades de Derecho Público cuando estos sean constitutivos de prueba (art. 77.6 LPACAP). • Incorporación a la propuesta de resolución de las pruebas cuando su valoración pueda constituir el fundamento básico de la resolución (art. 77.7 LPACAP).
4. PROPUESTA DE RESOLUCIÓN	
CONTENIDO (Art. 89 LPACAP)	• Una vez concluida la instrucción del procedimiento, el órgano instructor, si no decide el archivo de las actuaciones, formulará una propuesta de resolución. • La propuesta deberá ser notificada a los interesados. • La propuesta de resolución deberá indicar la puesta de manifiesto del procedimiento y el plazo para formular alegaciones y presentar los documentos e informaciones que se estimen pertinentes. • Motivación de los hechos probados y calificación jurídica de los mismos. • Determinación de la infracción. • Persona o personas responsables. • Propuesta de sanción. • Valoración de las pruebas. En especial aquellas que constituyan los fundamentos básicos de la decisión, así como las medidas provisionales que, en su caso, se hubieran adoptado.

ARCHIVO ACTUACIONES	Archivo de las actuaciones. En las siguientes circunstancias: a) La inexistencia de los hechos que pudieran constituir la infracción. b) Cuando los hechos no resulten acreditados. c) Cuando los hechos probados no constituyan, de modo manifiesto, infracción administrativa. d) Cuando no exista o no se haya podido identificar a la persona o personas responsables o bien aparezcan exentos de responsabilidad. e) Cuando se concluyera, en cualquier momento, que ha prescrito la infracción.

5. AUDIENCIA DE LOS INTERESADOS (Art. 82 LPACAP)

- El trámite de audiencia es aquel en que se pone de manifiesto el expediente al interesado o interesados, una vez instruido el procedimiento e inmediatamente antes de redactar la propuesta de resolución.
  - ✓ STS de 12 de febrero de 2001 (rec. 49/1994): Constata que se trata del más importante trámite del procedimiento administrativo cuya omisión, determina la nulidad del acto dictado, en cuanto puede dar lugar a indefensión.
- Los interesados, en un plazo no inferior a diez días ni superior a quince, podrán alegar y presentar los documentos y justificaciones que estimen pertinentes.
- Si antes del vencimiento del plazo los interesados manifiestan su decisión de no efectuar alegaciones ni aportar nuevos documentos o justificaciones, se tendrá por realizado el trámite.
- Se podrá prescindir del trámite de audiencia cuando no figuren en el procedimiento ni sean tenidos en cuenta en la resolución otros hechos ni otras alegaciones y pruebas que las aducidas por el interesado.

ESQUEMA 74. Fase de terminación

FASE DE TERMINACIÓN	
REGULACIÓN GENERAL	La regulación general de la terminación del procedimiento, se halla en el capítulo V del Título IV LPA-CAP, artículos 84 a 95. Resulta muy importante, asimismo, la regulación contenida en los artículos 21 a 25 LPACAP.
TERMINACIÓN EN LOS PROCEDIMIENTOS SANCIONADORES	Nos remitimos a lo estudiado en el capítulo dedicado a la finalización del procedimiento administrativo general (Cap. 3), analizando aquí sólo la resolución de los expedientes sancionadores.

ESQUEMA 75. La resolución (Arts. 87 a 90 LPACAP)

LA RESOLUCIÓN (Arts. 87 a 90 LPACAP)	
CONTENIDO	• Art. 88 LPACAP Además: • Valoración de las pruebas practicadas, en especial aquellas que constituyan los fundamentos básicos de la decisión. • Hechos. • Persona o personas responsables. • Infracción o infracciones cometidas. • Sanción o sanciones que se imponen, o la declaración de no existencia de infracción o responsabilidad. • Eventuales medidas cautelares.
LÍMITES DE LA PROPUESTA	• En la resolución no se podrán aceptar hechos distintos de los determinados en la fase de instrucción del procedimiento (art. 90.2 LPACAP). • No obstante, cuando el órgano competente para resolver considere que la infracción reviste mayor gravedad que la determinada en la propuesta de resolución, se notificará al inculpado para que aporte cuantas alegaciones estime convenientes, concediéndosele un plazo de quince días.

MOTIVACIÓN	<ul><li>Art. 35.1 h) LPACAP.</li><li>Cuando la sanción consista en la restricción de un derecho fundamental el deber de motivar se refuerza, en el sentido de que la motivación ofrecida debe hacer ostensible que la restricción impuesta es, no sólo fundada y razonada, sino razonable y proporcionada.</li><li>La falta de motivación limitaría la defensa del inculpado a la hora de interponer un recurso y configura un vicio muy grave.</li></ul>
NOTIFICACIÓN	<ul><li>Las resoluciones serán notificadas a los interesados. Se remite al art. 40 LPACAP.</li><li>Si el procedimiento se hubiese iniciado como consecuencia de orden superior o petición razonada, la resolución se comunicará al órgano administrativo autor de aquélla.</li></ul>
EJECUCIÓN Y RECURSO	<ul><li>La resolución sancionadora será ejecutiva sólo cuando no quepa contra ella ningún recurso ordinario en vía administrativa, pudiendo adoptarse en la misma las disposiciones cautelares precisas para garantizar su eficacia en tanto no sea ejecutiva y que podrán consistir en el mantenimiento de las medidas provisionales que en su caso se hubieran adoptado.</li><li>Cuando la resolución sea ejecutiva, se podrá suspender cautelarmente, si el interesado manifiesta a la Administración su intención de interponer recurso contencioso-administrativo contra la resolución firme en vía administrativa. La suspensión cautelar finalizará en los casos establecidos por el art. 90.3 LPACAP.</li><li>En caso de recurso contra la resolución sancionadora no se podrán imponer sanciones más graves de las contenidas en la resolución sancionadora. Art. 119.3 LPACAP.</li></ul>

ESQUEMA 76. Otras formas de terminación

OTRAS FORMAS DE TERMINACIÓN	
ARCHIVO ACTUACIONES	• Art. 89.1 LPACAP. • Cuando de las actuaciones previas se concluya que ha prescrito la infracción, el órgano competente acordará la no procedencia de iniciar el procedimiento sancionador. Igualmente, si iniciado el procedimiento se concluyera, en cualquier momento, que hubiera prescrito la infracción, el órgano competente resolverá la conclusión del procedimiento, con archivo de las actuaciones. En ambos casos, se notificará a los interesados el acuerdo o la resolución adoptada. • Asimismo, cuando haya transcurrido el plazo para la prescripción de la sanción, el órgano competente lo notificará a los interesados.
ADMISIÓN DE RESPONSABILIDAD POR EL INFRACTOR	• Iniciado un procedimiento sancionador, si el infractor reconoce su responsabilidad, se podrá resolver el procedimiento, con la imposición de la sanción que proceda. Art. 85 LPACAP. • Cuando la sanción tenga únicamente carácter pecuniario o bien quepa imponer una sanción pecuniaria y otra de carácter no pecuniario pero se ha justificado la improcedencia de la segunda, el pago voluntario por el presunto responsable, en cualquier momento anterior a la resolución, implicará la terminación del procedimiento, salvo en lo relativo a la reposición de la situación alterada o a la determinación de la indemnización por los daños y perjuicios causados por la comisión de la infracción. • Cuando la sanción tenga únicamente carácter pecuniario, el órgano competente para resolver el procedimiento aplicará reducciones de, al menos, el 20 % sobre el importe de la sanción propuesta, siendo éstos acumulables entre sí.
CADUCIDAD	• Art. 25.1 b) LPACAP. Si no se dicta o notifica al inculpado la resolución sancionatoria en el plazo establecido. El plazo contará a partir del acuerdo de iniciación. El plazo máximo varía en función de las normas sancionadoras especiales aplicables al procedimiento.

ESQUEMA 77. Ejecución

EJECUCIÓN
• Deben tenerse en cuenta, con carácter general, los artículos 97 a 104 de la LPACAP.

5. PROCEDIMIENTO SIMPLIFICADO

ESQUEMA 78. Procedimiento simplificado

La novedad más significativa de la LPACAP es la introducción de la posibilidad de tramitación simplificada del procedimiento, en el artículo 96.

Si se trata de procedimientos de naturaleza sancionadora, podrá acordarse esta tramitación cuando el órgano competente para iniciar el procedimiento considere que, de acuerdo con lo previsto en su normativa reguladora, existen elementos de juicio suficientes para calificar la infracción como leve, sin que quepa la oposición expresa por parte del interesado.

INICIACIÓN
<ul><li>La tramitación simplificada podrá acordarse por la Administración, de oficio o a solicitud de persona interesada "cuando razones de interés público o la falta de complejidad del procedimiento así lo aconsejen".<ul><li>a) Cuando sea la Administración la que acuerde la tramitación simplificada deberá notificarlo a los interesados y si alguno de ellos manifiesta su oposición expresa, la Administración deberá seguir la tramitación ordinaria.</li><li>b) Si son los interesados los que solicitan la tramitación simplificada, el órgano competente, en el plazo de cinco días desde su presentación, podrá desestimar dicha solicitud si aprecia que no concurren alguna de las razones que justifican este modo de tramitación y sin que contra dicha decisión exista posibilidad de recurso por parte del interesado. Transcurrido el mencionado plazo de cinco días se entenderá desestimada la solicitud.</li></ul></li><li>El acuerdo sobre tramitación simplificada no es irreversible pues "en cualquier momento del procedimiento anterior a su resolución, el órgano competente para su tramitación podrá acordar continuar con arreglo a la tramitación ordinaria".</li><li>Especialidades del procedimiento de naturaleza sancionadora: En el caso de procedimientos de naturaleza sancionadora, se podrá adoptar la tramitación simplificada del procedimiento cuando el órgano competente para iniciar el procedimiento considere que, de acuerdo con lo previsto en su normativa reguladora, existen elementos de juicio suficientes para calificar la infracción como leve, sin que quepa la oposición expresa por parte del interesado.</li></ul>

TRÁMITES

a) Inicio del procedimiento;
b) Subsanación, si procediere, de la solicitud presentada;
c) Alegaciones formuladas al inicio del procedimiento durante el plazo de cinco días;
d) Trámite de audiencia, únicamente cuando la resolución vaya a ser desfavorable para el interesado;
e) Informe del servicio jurídico, cuando éste sea preceptivo;
f) Informe del Consejo General del Poder Judicial, cuando éste sea preceptivo;
g) Dictamen del Consejo de Estado u órgano consultivo equivalente de la Comunidad Autónoma en los casos en que sea preceptivo; h) y resolución.
h) Resolución.
Si el procedimiento exige la realización de ulteriores trámites, deberá ser tramitado de manera ordinaria.

RESOLUCIÓN

El plazo de resolución previsto es de treinta días a contar desde el día siguiente al que se notifique al interesado el acuerdo de tramitación simplificada del procedimiento.

Capítulo 8

Los procedimientos de expropiación forzosa[*]

1. INTRODUCCIÓN

Utilizando la definición de SOSA WAGNER, la expropiación forzosa es una potestad que faculta a un sujeto público territorial (expropiante) para que, a cambio de una indemnización, prive imperativamente o coactivamente a un titular (expropiado) de su propiedad o de un derecho o interés patrimonial legítimo (objeto expropiado), en favor de aquél o de un tercero (beneficiario), siempre que medien razones de utilidad pública o interés social *(causa expropiandi)* y bajo el fundamento establecido en el artículo 33.3 de la Constitución [SOSA WAGNER, F. (2003), *Comentarios a la Ley de Expropiación Forzosa,* 2ª edición, Thomson-Aranzadi, Cizur Menor, p. 39].

Se trata, por un lado, de una potestad pública —normalmente, administrativa, y, por tanto, encomendada a los órganos de las Administraciones Públicas, sin perjuicio de que también se admita que el legislador, cuando lo justifique una situación excepcional, ejercite singularmente esa potestad— cuyo objeto consiste en privar, de forma imperativa, a una persona o a un grupo de ellas de sus bienes o de derechos patrimoniales o intereses legítimos, cuando así lo requieran los intereses generales, y que debe ejercerse con todas las garantías y con sujeción al principio de proporcionalidad [SÁNCHEZ MORÓN, M. (2016), *Derecho Administrativo. Parte General,* 12ª ed., Tecnos, Madrid, p. 754]. Por otro, es también una garantía, "puesto que asegura la integridad del patrimonio personal y la estabilidad del tráfico jurídico" [SÁNCHEZ MORÓN, M. (2016), *Derecho Administrativo. Parte General*, 12ª ed., Tecnos, Madrid, p. 756]. Así, cualquier expropiación, para que sea legítima, debe respetar una triple garantía: el fin de utilidad pública o interés social, o causa expropiandi; el derecho del expropiado a la correspondiente indemnización; y la realización de conformidad con lo dispuesto en las leyes, es decir, la denominada garantía del procedimiento expropiatorio (STC 166/1986, de 19 de diciembre, FJ 13º).

---

[*]   Dra. Lucía Casado Casado, *Profesora Titular de Derecho Administrativo, acreditada como Catedrática, Universitat Rovira i Virgili.*

La regulación de la expropiación forzosa se encuentra, actualmente, en los artículos 33.3 y 149.1.18 de la Constitución y en la Ley de 16 de diciembre de 1954, de Expropiación Forzosa (LEF), y en su Reglamento, aprobado mediante el Decreto de 26 de abril de 1957 (REF).

El artículo 33.3 de la Constitución dispone que "nadie podrá ser privado de sus bienes y derechos sino por causa justificada de utilidad pública o interés social, mediante la correspondiente indemnización y de conformidad con lo dispuesto por las leyes".

Por su parte, el artículo 149.1.18 de la Constitución reserva al Estado la competencia legislativa sobre expropiación forzosa y no únicamente sobre las bases o la legislación básica de esta materia. La competencia reservada al Estado se extiende a la totalidad de la legislación y ello se justifica por la consideración de la expropiación como institución de garantía de los intereses económicos privados y por la necesidad de garantizar una regulación uniforme de esta institución —especialmente de las garantías— en todo el territorio español. Según la jurisprudencia constitucional (por ejemplo, STC 37/1987, de 26 de marzo), ello significa que corresponde al Estado regular en exclusiva la expropiación en su dimensión de garantía de los derechos e intereses económicos privados, con el fin de impedir que puedan existir diferencias entre las diferentes partes del territorio nacional en relación con los criterios y sistema de valoración del justiprecio y las garantías del procedimiento. En cambio, la expropiación también tiene otra dimensión, de potestad pública o instrumento puesto a disposición del poder público para el cumplimiento de sus fines. Esto supone que tanto el Estado como las Comunidades Autónomas pueden, en el ámbito de sus propias competencias, ejercer determinadas actuaciones en materia expropiatoria que constituyen un instrumento o medio al servicio de la competencia materialmente ejercida, para el efectivo desarrollo por los poderes públicos de las diferentes políticas sectoriales (por ejemplo, determinar la *causa expropiandi* en materias o sectores de su competencia). Además, las Comunidades Autónomas también pueden regular aspectos organizativos del ejercicio de la expropiación (por ejemplo, las comisiones o jurados autonómicos de expropiación) y algunos aspectos secundarios del procedimiento expropiatorio (STC 61/1997, de 20 de marzo, y STC 164/2001, de 11 de julio).

Los sujetos de la expropiación son la Administración expropiante, el expropiado y el beneficiario. La LEF y su Reglamento (el REF), en cuanto a los sujetos, disponen lo siguiente:

- El expropiante es el titular de la potestad expropiatoria (art. 3.1 del REF). Sólo pueden ser expropiantes "el Estado, la Provincia o el Municipio" (art. 2.1 de la LEF). Esta relación debe completarse con las CCAA y las islas.

- Tiene la condición de expropiado el "propietario o titular de derechos reales e intereses económicos directos sobre la cosa expropiable, o titular del derecho objeto de la expropiación" (art. 3.1 REF).

- El beneficiario es "el sujeto que representa el interés público o social para cuya realización está autorizado a instar de la Administración expropiante el ejercicio de la potestad expropiatoria, y que adquiere el bien o derecho expropiados" (art. 3.1 REF). El beneficiario puede ser la misma Administración expropiante.

En cuanto al objeto, puede ser objeto de la expropiación forzosa "cualquier forma de privación singular de la propiedad o de derechos o intereses patrimoniales legítimos, cualesquiera que fueran las personas o entidades a que pertenezcan, acordada imperativamente, ya implique venta, permuta, censo, arrendamiento, ocupación temporal o mera cesación de su ejercicio" (art. 1.1 LEF). Sin embargo, la enumeración de los supuestos de privación singular de la propiedad, derechos o intereses patrimoniales legítimos tiene carácter enunciativo y no excluye la posibilidad de otros distintos.

De acuerdo con el art. 33.3 CE, la expropiación forzosa puede realizarse solo "por causa justificada de utilidad pública o interés social". Es decir, toda expropiación debe ampararse en la utilidad pública o en el interés social del fin a que haya de afectarse el objeto expropiado *(causa expropiandi)*.

La expropiación forzosa tendrá el efecto de privar al titular del derecho o interés patrimonial legítimo acordado imperativamente, a cambio de una obligación, por parte de la Administración, de pago del justiprecio.

2. La expropiación forzosa: aspectos generales

Esquema 79. La expropiación forzosa: aspectos generales

	LA EXPROPIACIÓN FORZOSA: ASPECTOS GENERALES
CONCEPTO	La expropiación forzosa es una potestad que "faculta a un sujeto público territorial para que, a cambio de una indemnización, prive imperativamente o coactivamente a un titular de su propiedad o de un derecho o interés patrimonial legítimo, en favor de aquél o de un tercero, siempre que medien razones de utilidad pública o interés social y bajo el fundamento establecido en el artículo 33.3 de la Constitución" [SOSA WAGNER, F. (2003), *Comentarios a la Ley de Expropiación Forzosa*, 2ª edición, Thomson-Aranzadi, Cizur Menor, p. 39].

MARCO JURÍDICO	La CE: – Artículo 33. Cabe destacar especialmente el artículo 33.3: "Nadie podrá ser privado de sus bienes y derechos, sino por causa justificada de utilidad pública o interés social, mediante la correspondiente indemnización y de conformidad con lo dispuesto por las leyes". – Artículo 149.1.18, que reserva al Estado la competencia para dictar la "legislación sobre expropiación forzosa". Las previsiones de los Estatutos de Autonomía de las CCAA. La Ley de 16 de diciembre de 1954 (LEF) y el Decreto de 26 de abril de 1957, que aprueba su Reglamento de desarrollo (REF). Algunas CCAA disponen de normativa específica reguladora de las comisiones o jurados autonómicos de expropiación.
SUJETOS	**EXPROPIANTE**
	El expropiante es el titular de la potestad expropiatoria (art. 3.1 del REF). La potestad expropiatoria, como regla general, corresponde a las Administraciones Públicas, concretamente a las territoriales. Sólo pueden ser expropiantes "el Estado, la Provincia o el Municipio" (art. 2.1 de la LEF). Esta relación debe completarse con las CCAA y las islas, en su calidad de Administraciones Públicas territoriales.. El artículo 4.2 de la LBRL permite que la legislación de las Comunidades Autónomas atribuya la potestad expropiatoria a las entidades territoriales de ámbito inferior al municipal y, asimismo, a las comarcas, áreas metropolitanas y demás entidades locales. Y el artículo 4.3 de la LBRL confiere a las mancomunidades de municipios, para la prestación de los servicios o la ejecución de las obras de su competencia, la potestad expropiatoria, según determinen sus Estatutos; y, en defecto de previsión estatutaria, siempre que sea precisa para el cumplimiento de su finalidad, y de acuerdo con la legislación aplicable. Excepcionalmente, la expropiación puede ser acordada por el legislador, si bien son numerosos los problemas que plantean las expropiaciones legislativas.

	EXPROPIADO
SUJETOS **(cont.)**	Tiene la condición de expropiado el "propietario o titular de derechos reales e intereses económicos directos sobre la cosa expropiable, o titular del derecho objeto de la expropiación" (art. 3.1 del REF). La condición de expropiado tiene carácter real, es decir, deriva de su relación con el bien o derecho objeto de la expropiación. En consecuencia, se transmite junto con dicho bien o derecho. Tal y como prevé el artículo 7 de la LEF, "Las transmisiones de dominio o de cualesquiera otros derechos o intereses no impedirán la continuación de los expedientes de expropiación forzosa. Se considerará subrogado el nuevo titular en las obligaciones y derechos del anterior". Respecto a la participación del expropiado en el procedimiento: – Las actuaciones del expediente expropiatorio se entenderán, en primer lugar, con el propietario de la cosa o titular del derecho objeto de la expropiación (art. 3.1 de la LEF). Salvo prueba en contrario, "la Administración expropiante considerará propietario o titular a quien con este carácter conste en registros públicos que produzcan presunción de titularidad, que sólo puede ser destruida judicialmente, o, en su defecto, a quien aparezca con tal carácter en registros fiscales, o, finalmente, al que lo sea pública y notoriamente" (art. 3.2 de la LEF). – Siempre que lo soliciten, acreditando su condición debidamente, se entenderán también las diligencias "con los titulares de derechos reales e intereses económicos directos sobre la cosa expropiable, así como con los arrendatarios cuando se trate de inmuebles rústicos o urbanos. En este último caso se iniciará para cada uno de los arrendatarios el respectivo expediente incidental para fijar la indemnización que pueda corresponderle" (art. 4.1 de la LEF). Si de los registros públicos a que hace referencia el artículo 3.2 de la LEF resultare la existencia de estos titulares, "será preceptiva su citación en el expediente de expropiación" (art. 4.2 de la LEF). – Se entenderán las diligencias con el Ministerio Fiscal "cuando, efectuada la publicación a que se refiere el artículo 18, no comparecieran en el expediente los propietarios o titulares, o estuvieren incapacitados y sin tutor o persona que les represente, o fuere la propiedad litigiosa" (art. 5.1 de la LEF). – También serán parte en el expediente "quienes presenten títulos contradictorios sobre el objeto que se trata de expropiar" (art. 5.2 de la LEF).

	BENEFICIARIO
SUJETOS (cont.)	El beneficiario es "el sujeto que representa el interés público o social para cuya realización está autorizado a instar de la Administración expropiante el ejercicio de la potestad expropiatoria, y que adquiere el bien o derecho expropiados" (art. 3.1 del REF). El beneficiario puede ser la misma Administración expropiante, otra Administración o entidad distinta o un concesionario, e, incluso, cualquier persona física o jurídica que cumpla determinados requisitos. En efecto, pueden ser beneficiarios: – En las expropiaciones por causa de utilidad pública, "las entidades y concesionarios a los que se reconozca legalmente esta condición" (art. 2.2 de la LEF). – En las expropiaciones por causa de interés social, "aparte de las indicadas, cualquier persona natural o jurídica en la que concurran los requisitos señalados por la Ley especial necesaria a estos efectos" (art. 2.3 de la LEF). Cuando no concurran en el mismo sujeto las cualidades de expropiante y beneficiario, a la Administración titular de la potestad expropiatoria corresponderá ejercerla en favor del beneficiario, a instancia del mismo; decidir ejecutoriamente en cuanto a la procedencia y extensión de las obligaciones del beneficiario respecto al expropiado y adoptar todas las demás resoluciones que impliquen ejercicio de dicha potestad, sin perjuicio de la intervención, facultades y obligaciones que corresponden al beneficiario (art. 4 del REF). Cuando la cualidad de expropiante y beneficiario no concurren en el mismo sujeto, corresponde al beneficiario de la expropiación forzosa solicitar de la respectiva Administración expropiante la iniciación del expediente expropiatorio en su favor, "para lo que deberán justificar plenamente la procedencia legal de la expropiación y su cualidad de beneficiarios, pudiendo la Administración expropiante pedirles cuantas justificaciones estime pertinentes y efectuar por sus propios medios las comprobaciones necesarias" (art. 5.1 del REF). En el curso del procedimiento expropiatorio, el beneficiario tiene atribuidas las siguientes facultades y obligaciones (art. 5.2 del REF): – Como parte en el procedimiento expropiatorio, impulsar el procedimiento e informar a su arbitrio sobre las incidencias y pronunciamientos del mismo. – Formular la relación a que se refiere el artículo 17 de la LEF. – Convenir libremente con el expropiado la adquisición amistosa a que se refiere el artículo 24 de la LEF. – Actuar en la pieza separada de justiprecio, a los efectos de presentar la correspondiente hoja de aprecio, y de aceptar o rechazar la valoración propuesta por los propietarios.

SUJETOS (cont.)	– Pagar o consignar, en su caso, la cantidad fijada como justo precio. – Abonar las indemnizaciones de demora que legalmente procedan por retrasos que le sean imputables. – Las obligaciones y derechos derivados de la reversión. – Los demás derechos y obligaciones establecidos en la LEF y en el REF.
OBJETO	Es objeto de la expropiación forzosa "cualquier forma de privación singular de la propiedad o de derechos o intereses patrimoniales legítimos, cualesquiera que fueran las personas o entidades a que pertenezcan, acordada imperativamente, ya implique venta, permuta, censo, arrendamiento, ocupación temporal o mera cesación de su ejercicio" (art. 1.1 de la LEF). La enumeración anterior de los supuestos de privación singular de la propiedad, derechos o intereses patrimoniales legítimos tiene carácter enunciativo y no excluye la posibilidad de otros distintos (art. 1.2 del REF).
CAUSA EXPROPIANDI	Es el fin que justifica la expropiación. Toda expropiación debe ampararse en la utilidad pública o el interés social del fin a que haya de afectarse el objeto expropiado.
EFECTOS	– La privación singular de derechos o intereses patrimoniales legítimos acordada imperativamente. – La obligación de pago del justiprecio.
PROCEDIMIENTO	Existen diferentes procedimientos de expropiación forzosa: – Procedimiento general. – Procedimiento de expropiación urgente. – Procedimientos especiales.
EXTINCIÓN	Se produce cuando se da la reversión, como consecuencia de la desaparición sobrevenida del fin que justificó la expropiación. En estos casos desaparece el fundamento mismo de la expropiación. El derecho de reversión: – Es un derecho de configuración legal. – Permite que el expropiado pueda recuperar, en determinados supuestos, la totalidad o la parte sobrante de lo expropiado, mediante la restitución de la indemnización expropiatoria que hubiera percibido, actualizada conforme a la evolución del índice de precios al consumo en el período comprendido entre la fecha de iniciación del expediente de justiprecio y la de ejercicio del derecho de reversión. Los supuestos en que procede el derecho de reversión son los siguientes (art. 54.1 LEF):

EXTINCIÓN (cont.)	– Inejecución de la obra o no establecimiento del servicio que motivó la expropiación. – Existencia de alguna parte sobrante de los bienes expropiados. – Desaparición de la afectación. Sin embargo, no habrá derecho de reversión en los casos siguientes (art. 54.2 LEF): – Cuando simultáneamente a la desafectación del fin que justificó la expropiación se acuerde justificadamente una nueva afectación a otro fin que haya sido declarado de utilidad pública o interés social. – Cuando la afectación al fin que justificó la expropiación o a otro declarado de utilidad pública o interés social se prolongue durante diez años desde la terminación de la obra o el establecimiento del servicio. La competencia para resolver sobre la reversión corresponderá a la Administración en cuya titularidad se halle el bien o derecho en el momento en que se solicite aquélla o a la que se encuentre vinculado el beneficiario de la expropiación, en su caso, titular de los mismos (art. 54.4 LEF).

3. EL PROCEDIMIENTO GENERAL DE EXPROPIACIÓN FORZOSA

3.1. *Un requisito previo: la declaración de utilidad pública o interés social*

ESQUEMA 80. La declaración de utilidad pública o interés social

	UN REQUISITO PREVIO: LA DECLARACIÓN DE UTILIDAD PÚBLICA O INTERÉS SOCIAL
CONCEPTO	Para proceder a la expropiación forzosa, "será indispensable la previa declaración de utilidad pública o interés social del fin a que haya de afectarse el objeto expropiado" (art. 9 de la LEF). La expropiación debe estar justificada en una finalidad de utilidad pública (realización de obras públicas o establecimiento de servicios públicos) o interés social (interés prevalente sobre el individual del propietario que no se traduce necesariamente en una obra o servicio). La declaración de utilidad pública o interés social constituye el título legitimador de la expropiación y es, por tanto, su presupuesto habilitante, aunque no forma parte del procedimiento expropiatorio. Su finalidad es determinar la causa misma de la expropiación, esto es, la necesidad pública que la justifica. Así, se racionaliza el ejercicio de la potestad expropiatoria y se evita su utilización para fines no justificados; y se asegura que el fin que justifica la expropiación no se altera posteriormente (en cuyo caso surgiría para el titular del bien el derecho de reversión —derecho a recuperarlo—, regulado en los arts. 54 y 55 de la LEF).

	DECLARACIÓN DE UTILIDAD PÚBLICA	
	Bienes inmuebles	**Bienes muebles**
REQUISITOS DE LA DECLARACIÓN	La declaración de utilidad pública de los bienes inmuebles podrá realizarse de la forma siguiente: – La declaración de utilidad pública de los bienes inmuebles se efectúa mediante Ley para cada caso concreto (art. 11 de la LEF). – La LEF admite, sin embargo, otra forma de declaración de la utilidad pública de los bienes inmuebles (art. 10 de la LEF): a) Declaración genérica por Ley de la utilidad pública. b) Posterior aplicación en cada caso concreto mediante acuerdo del Consejo de Ministros (o del Consejo de Gobierno de las Comunidades Autónomas), "salvo que para categorías determinadas de obras, servicios o concesiones las Leyes que las regulan hubieran dispuesto otra cosa". – La LEF también admite las declaraciones implícitas de utilidad pública exclusivamente para los bienes inmuebles. El artículo 10 de la LEF dispone que "La utilidad pública se entiende implícita, en relación con la expropiación de inmuebles en todos los planes de obras y servicios del Estado, Provincia y Municipio" (también de las CCAA). Esta posibilidad, que ha sido sistemáticamente utilizada, ha reducido en gran medida la exigencia de habilitación legislativa.	La declaración de utilidad pública de los bienes muebles se sujeta al siguiente procedimiento: – Con carácter general, la utilidad pública de los bienes muebles deberá ser declarada expresa y singularmente mediante Ley para cada caso concreto (esta regla general, sin embargo, se observa poco en la práctica). – También se permite que la declaración de utilidad pública se efectúe de la siguiente manera (es la forma más usual en la práctica): a) Declaración genérica por Ley de la utilidad pública y de la procedencia general de expropiar para una categoría especial de bienes. b) Posterior aplicación a cada caso concreto, en cuyo caso bastará el acuerdo del Consejo de Ministros (o del Consejo de Gobierno de las Comunidades Autónomas).
	DECLARACIÓN DE INTERÉS SOCIAL	
	La declaración de interés social se sujeta al siguiente procedimiento (art. 13 de la LEF): – Con carácter general, el interés social deberá ser declarado expresa y singularmente mediante Ley para cada caso concreto (esta regla general, sin embargo, se observa poco en la práctica).	

REQUISITOS DE LA DECLARACIÓN (cont.)	– También se permite que la declaración de interés social se efectué de la siguiente manera (es la forma más usual en la práctica): a) Declaración genérica por Ley del interés social y, por tanto, de la procedencia general de expropiar para una categoría especial de bienes. b) Posterior aplicación a cada caso concreto, en cuyo caso bastará el acuerdo del Consejo de Ministros (o del Consejo de Gobierno de las Comunidades Autónomas).

3.2. El acuerdo de necesidad de ocupación de los bienes o derechos objeto de expropiación

Esquema 81. El acuerdo de necesidad de ocupación de los bienes o derechos objeto de expropiación

	EL ACUERDO DE NECESIDAD DE OCUPACIÓN DE LOS BIENES O DERECHOS OBJETO DE EXPROPIACIÓN
SIGNIFICADO Y FINALIDAD	La declaración de necesidad de ocupación tiene como finalidad la determinación de los bienes y derechos que han de ser expropiados, identificando también a sus titulares. En ella se procede a señalar y declarar la necesidad de ocupar determinados bienes para el fin de la expropiación. El acuerdo de necesidad de ocupación: – Debe comprender los bienes o derechos "que sean estrictamente indispensables para el fin de la expropiación" (art. 15 de la LEF), siendo este dato susceptible de control jurisdiccional. Sin embargo, "mediante acuerdo del Consejo de Ministros podrán incluirse también entre los bienes de necesaria ocupación los que sean indispensables para previsibles ampliaciones de la obra o finalidad de que se trate" (art. 15 de la LEF). – Debe referirse a los bienes o derechos más convenientes al fin que se persigue (*vid.* el art. 19.1 de la LEF). El acuerdo de necesidad de ocupación permite, además, controlar la *causa expropiandi* y debatir la localización de una obra o servicio público y las posibles alternativas de ocupación de los bienes y derechos, así como la extensión de la ocupación. Esta fase del procedimiento se caracteriza, por tanto, por su naturaleza garantista, ya que obliga a un ejercicio de la potestad expropiatoria dentro de los límites imprescindibles de la finalidad que se persigue.

	CON CARÁCTER GENERAL
FORMA DE REALIZACIÓN	Con carácter general, la declaración de necesidad de ocupación debe realizarse mediante un acto administrativo *ad hoc* adoptado por la Administración. Para efectuar la declaración de necesidad de ocupación, deben seguirse los trámites siguientes: – El beneficiario de la expropiación está obligado a formular "una relación concreta e individualizada, en la que se describan, en todos los aspectos, material y jurídico, los bienes o derechos que considere de necesaria expropiación" (art. 17.1 de la LEF). – Dicha relación debe someterse a información pública durante un plazo de quince días. Cuando se trate de expropiaciones realizadas por el Estado, dicha relación habrá de publicarse en el Boletín Oficial del Estado y en el de la provincia respectiva y en uno de los diarios de mayor circulación de la provincia, si lo hubiere, comunicándose además a los Ayuntamientos en cuyo término radique la cosa a expropiar para que la fijen en el tablón de anuncios (art. 18 de la LEF). En este trámite puede comparecer cualquier persona y "aportar por escrito los datos oportunos para rectificar posibles errores de la relación publicada u oponerse, por razones de fondo o forma, a la necesidad de la ocupación. En este caso indicará los motivos por los que deba considerarse preferente la ocupación de otros bienes o la adquisición de otros derechos distintos y no comprendidos en la relación, como más conveniente al fin que se persigue" (art. 19.1 de la LEF). – A la vista de las alegaciones formuladas por quienes comparezcan en la información pública, la Administración resolverá, en el plazo máximo de veinte días, "sobre la necesidad de la ocupación, describiendo en la resolución detalladamente los bienes y derechos a que afecta la expropiación, y designando nominalmente a los interesados con los que hayan de entenderse los sucesivos trámites" (art. 20 de la LEF). La ausencia del trámite de información pública determina la nulidad de pleno derecho de la expropiación (STS de 18 de febrero de 2011).
	DECLARACIONES IMPLÍCITAS
	Sin embargo, el artículo 17.2 de la LEF permite las declaraciones implícitas de necesidad de ocupación. De conformidad con este precepto, "Cuando el proyecto de obras y servicios comprenda la descripción material detallada a que se refiere el párrafo anterior, la necesidad de ocupación se entenderá implícita en la aprobación del proyecto, pero el beneficiario estará igualmente obligado a formular la mencionada relación a los solos efectos de la determinación de los interesados".

	DECLARACIONES IMPLÍCITAS
FORMA DE REALIZACIÓN (cont.)	En casos de declaraciones implícitas de necesidad de ocupación, "cualquier persona podrá formular alegaciones, a los solos efectos de subsanar posibles errores en la relación" (art. 19.2 de la LEF). Este mecanismo hace desaparecer el acuerdo de necesidad de ocupación, que se sustituye por esta declaración implícita. Con base en el artículo 17.2 de la LEF, muchas leyes sectoriales han aplicado esta técnica a sectores completos de la actuación administrativa.
EFECTOS	El acuerdo de necesidad de ocupación inicia el expediente expropiatorio (art. 21.1 de la LEF). Este acuerdo se publicará en igual forma que la prevista en el artículo 18 de la LEF para el acto por el que se ordene la apertura de la información pública (art. 21.2 de la LEF). Además, debe notificarse individualmente "a cuantas personas aparezcan como interesadas en el procedimiento expropiatorio, si bien en la exclusiva parte que pueda afectarlas" (art. 21.3 de la LEF).
RECURSOS	*RECURSO DE ALZADA*
	El artículo 22 de la LEF prevé que contra el acuerdo de necesidad de ocupación podrán interponer recurso de alzada ante el Ministro correspondiente (en el caso de la Administración del Estado), "los interesados en el procedimiento expropiatorio, así como las personas que hubieran comparecido en la información pública" (art. 22.1 de la LEF). La interposición del recurso de alzada, regulado actualmente en la LPACAP, surtirá efectos suspensivos hasta tanto se dicte la resolución expresa (art. 22.3 de la LEF).
	RECURSO CONTENCIOSO-ADMINISTRATIVO
	El artículo 22.3 de la LEF excluye la interposición de recurso contencioso-administrativo. Sin embargo, a la luz de los artículos 24 y 106.1 de la CE, esta previsión de la LEF debe entenderse derogada, por ser incompatible con los mismos, que garantizan el derecho a la tutela judicial efectiva y permiten el control jurisdiccional de la actividad administrativa. La jurisprudencia del TS ha interpretado que cabe en este ámbito la interposición del recurso contencioso-administrativo contra el acuerdo de necesidad de ocupación (por ejemplo, SSTS de 30 de marzo de 1990, de 8 de abril de 1992 y de 9 de marzo de 1993).

EXTENSIÓN Y PROBLEMÁTICA DE LAS EXPROPIACIONES PARCIALES	El trámite de la declaración de necesidad de ocupación constituye el momento procedimental adecuado para resolver la problemática planteada por las expropiaciones parciales, reguladas en el artículo 23 de la LEF. El artículo 23 de la LEF establece que "Cuando la expropiación implique sólo la necesidad de ocupación de una parte de finca rústica o urbana, de tal modo que a consecuencia de aquélla resulte antieconómica para el propietario la conservación de la parte de finca no expropiada, podrá éste solicitar de la Administración que dicha expropiación comprenda la totalidad de la finca, debiendo decidirse sobre ello en el plazo de diez días". La decisión sobre la expropiación total o parcial de una finca corresponde a la Administración. Cuando ésta, con motivo fundado en el interés público, rechace la expropiación total, "se incluirá en el justiprecio la indemnización por los perjuicios que se produzcan a consecuencia de la expropiación parcial de la finca" (art. 46 de la LEF). El TS reconoce el derecho de indemnización por la disminución o lesión en su aprovechamiento que sufra una finca sólo expropiada en parte, "sin que sea obstáculo para la valoración de estos derechos, que el expropiado solicite o no en el expediente la expropiación total de la finca" (por ejemplo, STS de 12 de marzo de 1993). Esta resolución es susceptible de recurso administrativo. Aun cuando el artículo 23 de la LEF excluye el recurso contencioso-administrativo, a la luz de los artículos 24 y 106.1 de la CE debe entenderse plenamente aplicable.

3.3. La fijación del justiprecio

ESQUEMA 82. La fijación del justiprecio

	LA FIJACIÓN DEL JUSTIPRECIO
ASPECTOS GENERALES	La fase de fijación del justiprecio, regulada en los artículos 24 a 47 de la LEF, tiene por objeto la determinación del valor de los bienes o derechos expropiados y se inicia una vez firme el acuerdo por el que se declara la necesidad de ocupación de bienes o adquisición de derechos expropiables (art. 25 de la LEF). Esta fase se desarrolla en dos fases diferenciadas: – la fase negocial, en la que la LEF establece diferentes mecanismos con el fin de conseguir un acuerdo entre la Administración (o, en su caso, el beneficiario) y el expropiado acerca del importe del justiprecio.

ASPECTOS GENERALES (cont.)	– la fase de fijación del justiprecio por el Jurado, en defecto de acuerdo entre la Administración (o, en su caso, el beneficiario) y el expropiado. Cuando hayan transcurrido seis meses desde la iniciación legal del expediente expropiatorio (se inicia con el acuerdo de necesidad de ocupación) sin haberse determinado por resolución definitiva el justo precio de los bienes o derechos, "la Administración expropiante culpable de la demora estará obligada a abonar al expropiado una indemnización que consistirá en el interés legal del justo precio hasta el momento en que se haya determinado, que se liquidará con efectos retroactivos, una vez que el justiprecio haya sido efectuado" (art. 56 de la LEF).

FASE NEGOCIAL	*ASPECTOS GENERALES*
	
	Esta fase se desarrolla en dos subfases diferenciadas:
	    – Intento de mutuo acuerdo entre Administración y expropiado.
	    – Valoración contradictoria del bien o derecho, de no haberse logrado el citado acuerdo.
	
	INTENTO DE MUTUO ACUERDO
	
	El artículo 24 de la LEF prevé la adquisición amistosa de los bienes o derechos expropiados mediante acuerdo entre la Administración y el expropiado, una vez iniciado el expediente expropiatorio. A estos efectos, prevé un intento de mutuo acuerdo entre ambas partes.
	Esta subfase, de intento de mutuo acuerdo, se inicia una vez firme el acuerdo por el que se declara la necesidad de ocupación y dura quince días.
	Durante este plazo, "la Administración y el particular a quien se refiera la expropiación podrán convenir la adquisición de los bienes o derechos que son objeto de aquélla libremente y por mutuo acuerdo, en cuyo caso, una vez convenidos los términos de la adquisición amistosa, se dará por concluido el expediente iniciado" (art. 24 LEF).
	Este acuerdo expropiatorio al que llegan los interesados con el objeto de fijar la indemnización y facilitar la tramitación del procedimiento es un convenio con naturaleza jurídica administrativa (por ejemplo, STS de 2 de marzo de 2004) y supone un claro ejemplo de terminación convencional de un procedimiento administrativo. El TS ha considerado que *"este acuerdo, que se manifiesta por la adhesión del particular (...) a la expropiación, es un negocio jurídico de derecho administrativo, un convenio que tiene por finalidad concretar la cuantía de precio de adquisición derivado de la expropiación, haciendo innecesaria la intervención decisoria del Jurado pero sin que el mutuo acuerdo excluya la existencia de una verdadera expropiación"* (entre otras, la STS de 1 de octubre de 1991).

	En caso de que en el plazo de quince días no se llegara a tal acuerdo, "se seguirá el procedimiento que se establece en los artículos siguientes, sin perjuicio de que en cualquier estado posterior de su tramitación puedan ambas partes llegar a dicho mutuo acuerdo" (art. 24 de la LEF). Se admite, en consecuencia, la posibilidad de un acuerdo entre las partes aun cuando haya transcurrido el plazo de quince días inicialmente establecido.
	La existencia de mutuo acuerdo entre la Administración y el expropiado, materializado en el convenio expropiatorio, concluye el expediente y vincula a las partes interesadas que lo han suscrito en los términos siguientes:
	– El acuerdo obliga a las partes y deben cumplir su contenido. En caso de incumplimiento del acuerdo por parte de las Administraciones Públicas, nace el deber de indemnizar (así lo ha establecido el TS, entre otras, en las STS de 26 de junio de 1993 y 24 de diciembre de 1994).
	– La vinculación al acuerdo no excluye su impugnación por cualquiera de las partes interesadas si consideran que infringe el ordenamiento jurídico. El TS ha admitido la impugnación del convenio ante la Jurisdicción Contencioso-Administrativa (por ejemplo, en la STS de 18 de enero de 1984).
FASE NEGOCIAL **(cont.)**	Si la Administración quiere apartarse del convenio, debe promover un procedimiento de revisión de oficio o una declaración de lesividad para el interés público, impugnándolo ante la Jurisdicción Contencioso-Administrativa (STS de 4 de mayo de 1998).
	VALORACIÓN CONTRADICTORIA DEL BIEN O DERECHO
	Transcurrido el plazo inicial de quince días para la conclusión de un acuerdo sin haberlo conseguido, la Administración debe pasar a la subfase de valoración contradictoria del bien o derecho.
	En esta subfase, la fijación del justo precio "se tramitará como pieza separada, encabezada por la exacta descripción del bien concreto que haya de expropiarse" (art. 26.1 de la LEF). A tal fin, "se abrirá un expediente individual a cada uno de los propietarios de bienes expropiables. El expediente será único en los casos en que el objeto de la expropiación pertenezca en comunidad a varias personas o cuando varios bienes constituyan una unidad económica" (art. 26.2 de la LEF).
	En cada uno de los expedientes formados, la Administración requerirá a los propietarios para que en el plazo de veinte días (a contar desde el siguiente al de la notificación) presenten hoja de aprecio (constituye una declaración de voluntad mediante la cual las partes fijan de modo concreto el precio que estiman justo).
	En esta hoja de aprecio deben concretar el valor en que estimen el objeto que se expropia, pudiendo aducir cuantas alegaciones estimen pertinentes. Esta valoración debe ser motivada y podrá estar avalada por la firma de un perito (art. 29 de la LEF).

FASE NEGOCIAL (cont.)	El efecto principal de la formulación de la hoja de aprecio por el expropiado es que queda vinculado a la misma, por lo que no podrá posteriormente incrementar la cantidad inicialmente pedida. La cantidad fijada en su hoja de aprecio es el límite a solicitar ante el Jurado y en futuros recursos y opera como límite máximo de indemnización. Una vez examinada la hoja de aprecio, la Administración puede adoptar dos posiciones diferentes: • Aceptar la valoración de los propietarios, en igual plazo de veinte días. En este caso, "se entenderá determinado definitivamente el justo precio, y la Administración procederá al pago del mismo, como requisito previo a la ocupación o disposición" (art. 30.1 de la LEF). • Rechazar la valoración de los propietarios, en igual plazo de veinte días. En este caso, la Administración (o el beneficiario) elaborará su propia hoja de aprecio, que fija su posición en cuanto a la estimación del valor de los bienes expropiados. Esta hoja de aprecio también debe ser motivada y posee la misma eficacia que la del expropiado (art. 30.1 de la LEF): la Administración o el beneficiario quedan vinculados a la hoja de aprecio y el justiprecio en ella fijado actúa como límite, de carácter mínimo, para el Jurado o los Tribunales. La hoja de aprecio de la Administración debe notificarse al expropiado, el cual, dentro de los diez días siguientes podrá: – Aceptarla lisa y llanamente (art. 30.2 de la LEF). – Rechazarla. En este caso, "tendrá derecho a hacer las alegaciones que estime pertinentes, empleando los métodos valorativos que juzgue más adecuados para justificar su propia valoración a los efectos del artículo 43 y, asimismo, a aportar las pruebas que considere oportunas en justificación de dichas alegaciones" (art. 30.2 de la LEF). Si el expropiado rechaza el precio fundado ofrecido por la Administración en su hoja de aprecio, "se pasará el expediente de justiprecio al Jurado Provincial de Expropiación" (art. 31 de la LEF).
FASE DE FIJACIÓN DEL JUSTIPRECIO POR EL JURADO	En esta fase, el Jurado Provincial de Expropiación (o, en su caso, los Jurados de Expropiación que han constituido algunas Comunidades Autónomas) decide la fijación del justo precio de los bienes o derechos expropiados. El Jurado Provincial de Expropiación es un órgano administrativo colegiado que ejerce una función arbitral, ya que tiene como misión fijar el justiprecio en caso de discrepancia entre los interesados.

FASE DE FIJACIÓN DEL JUSTIPRECIO POR EL JURADO (cont.)	Tras la modificación del artículo 32.1 de la LEF por la Ley 17/2012, de 27 de diciembre, de Presupuestos Generales del Estado para el año 2013, está integrado por un presidente (un Magistrado designado por el Presidente de la Audiencia Provincial correspondiente) y seis vocales (un Abogado del Estado de la respectiva Delegación de Hacienda; dos funcionarios técnicos designados por la Delegación de Hacienda de la provincia, que serán nombrados según la naturaleza de los bienes a expropiar; un representante de la Cámara Agraria Provincial, cuando la expropiación se refiera a propiedad rústica y, en los demás casos, por un representante de la Cámara de la Propiedad Urbana, Cámara de Comercio, Industria y Navegación, Colegio Profesional u Organización empresarial, según la índole de los bienes o derechos objeto de la expropiación; un Notario de libre designación por el Decano del Colegio Notarial correspondiente; y el Interventor territorial de la provincia o persona que legalmente le sustituya). De acuerdo con el artículo 34 de la LEF, "el Jurado de Expropiación, a la vista de las hojas de aprecio formuladas por los propietarios, decidirá ejecutoriamente sobre el justo precio que corresponda a los bienes o derechos objeto de la expropiación". El Jurado, a la hora de decidir, ha de tener en cuenta las hojas de aprecio presentadas por el expropiado y por la Administración o el beneficiario, cuyas cantidades operan como márgenes de la decisión. La resolución del Jurado de Expropiación "habrá de ser necesariamente motivada, razonándose los criterios de valoración seguidos por el mismo en relación con lo dispuesto en esta Ley" (art. 35.1 de la LEF). La jurisprudencia considera que basta con que la motivación sea sucinta, es decir, simplemente indicativa de los criterios utilizados para la valoración, de manera que permita su control por la Jurisdicción Contencioso-Administrativa (entre otras, STS de 13 de junio de 1996). La resolución del Jurado debe notificarse a la Administración y al expropiado, pone fin a la vía administrativa y contra la misma procederá el recurso contencioso-administrativo (art. 35.2 de la LEF). El artículo 126.1 de la LEF también prevé que "contra la resolución administrativa que ponga fin al expediente de expropiación o a cualquiera de las piezas separadas, se podrá interponer recurso contencioso-administrativo". La jurisprudencia ha establecido reiteradamente que las decisiones del Jurado están revestidas de la presunción *iuris tantum* de acierto y legalidad (entre otras, STS de 23 de enero de 1996). La fecha del acuerdo del Jurado constituirá el término inicial para la caducidad de la valoración establecida en el artículo 58 de la LEF (art. 35.3 de la LEF).

3.4. *Pago del justo precio y toma de posesión*

Esquema 83. **Pago del justo precio y toma de posesión**

	PAGO DEL JUSTIPRECIO Y TOMA DE POSESIÓN
PAGO DEL JUSTIPRECIO	*PLAZO*
	Una vez determinado el justo precio, deberá procederse al pago de la cantidad que resultare en el plazo máximo de los seis meses siguientes a la fecha de su fijación (ya sea de mutuo acuerdo, ya sea mediante decisión del Jurado), de acuerdo con el artículo 48.1 de la LEF. Transcurrido este plazo de seis meses, el importe del justo precio devengará intereses de demora. El artículo 57 de la LEF establece que "La cantidad que se fije definitivamente como justo precio devengará el interés legal correspondiente a favor del expropiado hasta que se proceda a su pago y desde el momento en que hayan transcurrido los seis meses a que se refiere el artículo 48". "Si transcurrieran cuatro años sin que el pago de la cantidad fijada como justo precio se haga efectivo o se consigne, habrá de procederse a evaluar de nuevo las cosas o derechos objeto de expropiación", con arreglo a lo establecido en los artículos 24 a 47 de la LEF (art. 58 de la LEF). Una vez efectuado el pago o realizada la consignación, aunque haya transcurrido el plazo de cuatro años, no procederá el derecho a la retasación.
	FORMA
	El pago del justo precio "se verificará mediante talón nominativo al expropiado o por transferencia bancaria, en el caso en que el expropiado haya manifestado su deseo de recibir el precio precisamente por este medio" (art. 48.2 de la LEF). Algunas normas sectoriales (por ejemplo, en materia urbanística) han previsto la posibilidad de que el pago se realice en especie. Si el expropiado se negara a recibir el precio o existiera cualquier litigio entre el interesado y la Administración, "se consignará el justiprecio por la cantidad que sea objeto de discordia, en la Caja General de Depósitos, a disposición de la autoridad o Tribunal competente" (art. 50.1 de la LEF). Ahora bien, "el expropiado tendrá derecho a que se le entregue, aunque exista litigio o recurso pendiente, la indemnización hasta el límite en que exista conformidad entre aquél y la Administración, quedando en todo caso subordinada dicha entrega provisional al resultado del litigio" (art. 50.2 de la LEF).

	RÉGIMEN ECONÓMICO
PAGO DEL JUSTIPRECIO (cont.)	"El pago del precio estará exento de toda clase de gastos, de impuestos y gravámenes o arbitrios del Estado, Provincia o Municipio, incluso el de pagos del Estado" (art. 49 de la LEF). Esta exención también opera en relación con las obligaciones fiscales de las CCAA.
TOMA DE POSESIÓN	Efectuado el pago del justo precio (o, en su caso, la consignación), la Administración podrá proceder a la ocupación del bien expropiado (art. 51 de la LEF). La ocupación se formaliza mediante el levantamiento del acta de ocupación, que se extenderá a continuación del pago, acompañada de los justificantes del mismo (art. 53 de la LEF, primer párrafo). El acta de ocupación "será título bastante para que en el Registro de la Propiedad y en los demás Registros Públicos se inscriba o tome razón de la transmisión de dominio y se verifique, en su caso, la cancelación de las cargas, gravámenes y derechos reales de toda clase a que estuviere afectada la cosa expropiada" (art. 53 de la LEF, primer párrafo). El acta de ocupación, acompañada del justificante de la consignación del precio o del correspondiente resguardo de depósito, surtirá idénticos efectos (art. 53 de la LEF, segundo párrafo).

4. EL PROCEDIMIENTO DE EXPROPIACIÓN URGENTE

4.1. Aspectos generales

ESQUEMA 84. Aspectos generales

ASPECTOS GENERALES	
CONCEPTO Y CARACTERÍSTICAS GENERALES	El procedimiento de expropiación urgente constituye una excepción al procedimiento general regulado por la LEF, aplicable sólo a las expropiaciones para "la realización de una obra o finalidad determinada" cuando concurran causas de carácter excepcional (art. 52, primer párrafo, de la LEF).

CONCEPTO Y CARACTERÍSTICAS GENERALES (cont.)	Se trata de un procedimiento calificado formalmente de excepcional que presenta algunas peculiaridades en relación con el procedimiento general. Las principales son las siguientes: – Se aparta del principio general de declaración de la necesidad de ocupación regulado en los artículos 15 a 23 de la LEF, ya que este acuerdo se encuentra implícito en la declaración de urgencia que se da en este tipo de expropiaciones. – La inmediata ocupación y toma de posesión de los bienes se produce sin haberse determinado previamente el justiprecio y sin haberse hecho efectivo su abono. Se invierten, en consecuencia, determinados trámites del procedimiento ordinario. La postergación del pago del justiprecio respecto de la ocupación de los bienes se ha considerado conforme con el artículo 33.3 de la CE (*vid.* por ejemplo la Sentencia del TC 111/1983, de 2 de diciembre de 1983). Paradójicamente, este procedimiento previsto como excepcional en la LEF se ha desnaturalizado y ha acabado convirtiéndose en la práctica en un procedimiento general, ya que un buen número de las expropiaciones realizadas por las Administraciones Públicas se tramitan conforme a este procedimiento.
REGULACIÓN	La expropiación urgente se regula en los artículos 52 de la LEF y 56 a 59 del REF.

4.2. *Los trámites integrantes del procedimiento*

ESQUEMA 85. Los trámites integrantes del procedimiento

	LOS TRÁMITES INTEGRANTES DEL PROCEDIMIENTO
PRESUPUESTO PREVIO	Como sucede en cualquier expropiación, para proceder a una expropiación urgente, es requisito previo indispensable la previa declaración de utilidad pública o interés social del fin a que haya de afectarse el objeto expropiado. Si bien esta declaración no forma parte estrictamente del procedimiento expropiatorio, constituye un presupuesto habilitante del mismo.
TRÁMITE DE INFORMACIÓN PÚBLICA	El procedimiento de expropiación urgente se inicia con la práctica de un trámite de información pública previsto en el artículo 56.1 del REF "en la que por imposición legal, o en su defecto, por plazo de quince días, se haya oído a los afectados por la expropiación de que se trate". En este trámite debe exponerse la relación de los bienes afectados por la expropiación y los interesados podrán formular alegaciones "a los solos efectos de subsanar posibles errores que se hayan padecido al relacionar los bienes afectados por la urgente ocupación" (art. 56.2 del REF).

DECLARACIÓN DE URGENCIA	Realizada la información pública, se procederá a la declaración de urgencia de la ocupación de los bienes afectados por la expropiación. En relación con este trámite, los aspectos más destacables son los siguientes: – La declaración de urgencia corresponde efectuarla al Consejo de Ministros o al Consejo de Gobierno de la Comunidad Autónoma respectiva, en caso de que la Administración expropiante sea la autonómica o la local. – Para declarar la urgente ocupación de los bienes afectados por la expropiación a que dé lugar la realización de una obra o finalidad determinada, conforme a lo establecido por los artículos 52 de la LEF y 56 del REF, es necesario que concurran circunstancias excepcionales que exijan acudir a ese procedimiento, "*pues la declaración de urgencia, como concepto jurídico indeterminado, tiene unas connotaciones de excepcionalidad en la Ley de Expropiación Forzosa y en el Reglamento y por ello debe responder a urgencias reales y constatadas a lo largo del expediente, en relación con una obra o finalidad concreta y determinada, suficientemente justificadas para que puedan servir de base a una excepción tan importante al sistema general de previo pago del justiprecio*" (STS de 30 de noviembre de 2011 y de 27 de febrero de 2013, FJ 4º). – Es necesario que el acuerdo en que se declare la urgencia esté debidamente motivado, con la exposición de las circunstancias que lo justifican. No se trata, por consiguiente, de una facultad discrecional. Para su adopción por los órganos competentes de las Administraciones Públicas deben concurrir circunstancias excepcionales que justifiquen la desposesión sin previo pago del justiprecio de los bienes expropiados. Es preciso, también, que exista una motivación suficiente del acuerdo mediante el que se haga dicha declaración. – En efecto, el acuerdo en que se declare la urgente ocupación de los bienes afectados por una expropiación "deberá estar debidamente motivado, con la exposición de las circunstancias que, en su caso, justifican el excepcional procedimiento previsto en el artículo 52 de la Ley y conteniendo referencia expresa a los bienes a que la ocupación afecta o al proyecto de obras en que se determina, así como al resultado de la información pública" (art. 56.1 del REF). Asimismo, el TS exige justificar la urgencia con un razonamiento preciso, detallado y objetivamente convincente en cada caso y para cada caso (por ejemplo, en las STS de 30 de noviembre de 2011 y de 27 de febrero de 2013). – En el expediente que se eleve al Consejo de Ministros o al Consejo de Gobierno de la Comunidad Autónoma "deberá figurar, necesariamente, la oportuna retención de crédito, con cargo al ejercicio en que se prevea la conclusión del expediente expropiatorio y la realización efectiva del pago, por el importe a que ascendería el justiprecio calculado en virtud de las reglas previstas para su determinación" (art. 52 de la LEF).

DECLARACIÓN DE URGENCIA (cont.)	– La declaración de urgencia podrá hacerse en cualquier momento e implicará las siguientes consecuencias:
	  a) Se entenderá cumplido el trámite de declaración de necesidad de ocupación de los bienes que hayan de ser expropiados, según el proyecto y replanteo aprobados y los reformados posteriormente, y dará derecho a su ocupación inmediata (art. 52.1º de la LEF).
	  b) Se notificará a los interesados afectados el día y hora en que ha de levantarse el acta previa a la ocupación (art. 52.2º de la LEF).
	– El artículo 56.2 del REF veda la interposición de recursos contra la declaración de urgencia. Sin embargo, a la luz de los artículos 24 y 106.1 de la CE (que reconocen el derecho a la tutela judicial efectiva e imponen el control por parte de los Tribunales de la legalidad de la actuación administrativa, así como el sometimiento de ésta a los fines que la justifican) debe interpretarse que es posible recurrir cualquier declaración de urgencia que no respete lo establecido por la normativa vigente. Así lo ha reconocido el TS (por ejemplo, en la STS de 8 de abril de 1992).

LEVANTAMIENTO DEL ACTA PREVIA A LA OCUPACIÓN	El levantamiento del acta previa a la ocupación es un trámite que tiene por objeto dejar constancia de los bienes o derechos objeto de expropiación y de todas las manifestaciones que aporten los interesados afectados. No se trata de un acta de ocupación, sino de un trámite previo a la misma. El levantamiento del acta previa a la ocupación se realiza de la forma siguiente: – Notificación a los interesados afectados del día y hora en que ha de levantarse el acta previa a la ocupación, con una antelación mínima de ocho días. Con igual antelación se publicarán edictos en los tablones oficiales y, en resumen, en el Boletín Oficial del Estado y en el de la provincia, en un periódico de la localidad y en dos diarios de la capital de la provincia, si los hubiere (art. 52.2º de la LEF). – En el día y hora anunciados, se constituirán en la finca que se trate de ocupar el representante de la Administración, acompañado de un perito y del Alcalde o Concejal en que delegue, así como los propietarios y demás interesados que concurran, los cuales podrán hacerse acompañar de sus peritos y un Notario (art. 52.3º de la LEF). – Levantamiento de un acta, "en la que describirán el bien o derecho expropiable y se harán constar todas las manifestaciones y datos que aporten unos y otros y que sean útiles para determinar los derechos afectados, sus titulares, el valor de aquéllos y los perjuicios determinantes de la rápida ocupación. Tratándose de terrenos cultivados se hará constar el estado y la extensión de las cosechas, los nombres de los cultivadores y el precio del arrendamiento o pactos de aparcería en su caso. Si son fincas urbanas se reseñará el nombre de los arrendatarios, el precio del alquiler y, en su caso, la industria que ejerzan" (art. 52.3º de la LEF).

HOJAS DE DEPÓSITO PREVIO A LA OCUPACIÓN	Levantada el acta previa a la ocupación, la Administración formulará las hojas de depósito previo a la ocupación, realizando una estimación del valor del bien y fijará la indemnización que debe corresponder por los perjuicios derivados de la rapidez de la ocupación (mudanzas, cosechas pendientes…). La cantidad así fijada, que devengará a favor del titular expropiado el interés legal, será consignada en la Caja de Depósitos. Al efectuar el pago del justiprecio se hará la liquidación definitiva de intereses (art. 52.4° y 5° de la LEF). El expropiado, cuando no hubiese cuestión sobre su titularidad, podrá retirar y percibir en cualquier momento esta cantidad, renunciando a los intereses legales. Deberá devolver el exceso si la cantidad percibida resultase mayor que la que se fije definitivamente como justo precio (art. 58.1 del REF).
OCUPACIÓN DEL BIEN	Efectuado el depósito y abonada o consignada, en su caso, la previa indemnización por perjuicios, la Administración procederá a la inmediata ocupación del bien de que se trate, en el plazo máximo de quince días (art. 52.6° de la LEF).
FIJACIÓN Y PAGO DEL JUSTIPRECIO	Efectuada la ocupación de las fincas, se tramitará el expediente de expropiación en sus fases de justiprecio y pago según la regulación establecida para el procedimiento general, debiendo darse preferencia a estos expedientes para su rápida resolución (art. 52.7° de la LEF). En todo caso, sobre el justiprecio acordado definitivamente para los bienes objeto de expropiación urgente, se girará la indemnización establecida en el artículo 56 (por demora en la determinación del justiprecio), "con la especialidad de que será fecha inicial para el cómputo correspondiente la siguiente a aquella en que se hubiera producido la ocupación de que se trata" (art. 52.8° de la LEF).

5. Los procedimientos especiales

Esquema 86. Expropiaciones especiales

	EXPROPIACIONES ESPECIALES
CONCEPTO	– La LEF recoge en su Título III (arts. 59 a 107) una serie de procedimientos especiales. – La LEF no regula estos procedimientos de forma completa, sino que únicamente introduce algunas particularidades sobre el procedimiento general. En realidad, se trata de meras especialidades parciales del procedimiento expropiatorio general que se aplican en algunos supuestos determinados. En lo no previsto en estas reglas especiales, se aplica el procedimiento ordinario, en cuanto no esté expresamente exceptuado.

| CLASES | – La expropiación por zonas o grupos de bienes (arts. 59 a 70 de la LEF).
– La expropiación por incumplimiento de la función social de la propiedad (arts. 71 a 75 de la LEF).
– La expropiación de bienes de valor artístico, histórico y arqueológico (arts. 76 a 84 de la LEF).
– La expropiación por entidades locales (en estas expropiaciones, el vocal técnico de la Administración que forma parte del Jurado es designado por las propias Corporaciones Locales expropiantes y a éstas corresponden íntegramente las facultades atribuidas en el procedimiento general a las autoridades gubernativas) o por razón de urbanismo (art. 85 de la LEF).
– La expropiación que dé lugar a traslado de poblaciones (arts. 86 a 96 de la LEF).
– Las expropiaciones por causa de colonización o de obras públicas (arts. 97 y 98 de la LEF).
– La expropiación en materia de propiedad industrial (art. 99 de la LEF).
– La expropiación por razones de defensa nacional y seguridad del Estado (arts. 100 a 107 de la LEF). |

Capítulo 9

Los procedimientos del régimen de subvenciones*

1. INTRODUCCIÓN

De acuerdo con el artículo 2 de la Ley 38/2003, de 17 de noviembre, General de Subvenciones (LGS), las subvenciones son ayudas públicas que consisten en una aportación de dinero con cargo a fondos públicos, realizadas a favor de personas privadas o públicas, que tienen que cumplir unos requisitos, es decir:
- la entrega se tiene que realizar sin contraprestación directa de los beneficiarios;
- la entrega tiene que estar sujeta al cumplimiento de un determinado objetivo, o a la ejecución de un proyecto o a la realización de una actividad, etc.
- y que este proyecto o actividad tenga por objeto el fomento de una actividad de utilidad pública o interés social o de promoción de una finalidad pública.

Las subvenciones son, por lo tanto, una de las medidas de fomento de la Administración Pública. Se pueden definir las medidas de fomento como aquellas medidas públicas que tienen por objeto incentivar, estimular o promover determinadas actividades, públicas o privadas, para satisfacer una necesidad pública y/o alcanzar un fin de utilidad general.

El procedimiento de concesión de subvenciones, así como toda la actividad de fomento, se rige por los principios de igualdad y no discriminación (art. 14 CE), publicidad y transparencia (8.3.a LGS), concurrencia y objetividad (22.1 LGS), eficacia y eficiencia (8.3 LGS).

El artículo 22 LGS prevé dos formas de concesión de subvenciones: el procedimiento de concurrencia competitiva y el procedimiento de concesión directa. Ambos procedimientos se explican en los esquemas de este capítulo.

---

* Dra. ANNA PALLARÈS SERRANO, *Profesora Titular de Derecho Administrativo, Universitat Rovira i Virgili.*

2. ASPECTOS GENERALES SOBRE LOS PROCEDIMIENTOS DE LA LEY 38/2003 GENERAL DE SUBVENCIONES

ESQUEMA 87. Aspectos generales sobre los procedimientos de la Ley 38/2003 general de subvenciones

	ASPECTOS GENERALES SOBRE LOS PROCEDIMIENTOS DE LA LEY 38/2003 GENERAL DE SUBVENCIONES
PRINCIPIOS GENERALES	– La gestión de las subvenciones se ha de llevar a cabo de acuerdo con los principios de: a) Publicidad, transparencia, concurrencia, objetividad, igualdad y no discriminación. b) Eficacia en el cumplimiento de los objetivos fijados por la Administración otorgante. c) Eficiencia en la asignación y utilización de los recursos públicos. – Estos principios, además, se han de tener en cuenta y han de inspirar las soluciones que se den a cualquier duda interpretativa que presente el régimen de subvenciones.
LOS DIFERENTES PROCEDIMIENTOS QUE EXISTEN	En la LGS se establecen los siguientes procedimientos: – El procedimiento de concesión en régimen de concurrencia competitiva es el régimen general de concesión que ha de servir para hacer efectivos los principios inspiradores del régimen de subvenciones previstos en la Ley. – El procedimiento de concesión directa solo se aplica en los supuestos previstos en la Ley. El citado procedimiento se caracteriza por no exigir el cumplimiento de los principios de publicidad y concurrencia. – El procedimiento de gestión y justificación de la subvención pública ordena la posibilidad de concertar con terceros la ejecución parcial de la actividad subvencionada, los gastos que se pueden considerar subvencionables y la documentación necesaria para justificar el cumplimiento de las condiciones impuestas y la consecución de los objetivos previstos en el acto de concesión de la subvención. – El procedimiento de gestión presupuestaria regula la manera de llevar a cabo el pago de la subvención al beneficiario. – El procedimiento de reintegro determina la manera de llevar a cabo el reintegro de subvenciones por incumplimiento de las obligaciones de los beneficiarios y entidades colaboradoras. – El procedimiento de control financiero tiene por objeto verificar la adecuada obtención, utilización, disfrute y justificación de la subvención.

CUESTIONES COMPETENCIALES	– La ordenación de un régimen jurídico común en la relación subvencional constituye una finalidad nuclear de la LGS., que se inspira directamente en el artículo 149.1.18 de la CE, a cuyo tenor el Estado tiene competencia exclusiva sobre las bases del régimen jurídico de las Administraciones Públicas y sobre el procedimiento administrativo común. – De todos los procedimientos regulados en la Ley, solo el artículo 22, que define el procedimiento ordinario de concesión, los órganos que intervienen y los supuestos que permiten la concesión directa, y la regulación del procedimiento de gestión y justificación de la subvención pública (artículos 29 a 31) tienen carácter básico. También tiene la consideración de normativa básica la regulación de determinados trámites procedimentales que se han de cumplir a la hora de otorgar subvenciones. En este trabajo nos limitaremos al estudio de la citada normativa básica, que ha de ser respetada por las normas autonómicas.

3. LA CONCESIÓN DE LAS SUBVENCIONES

3.1. Requisitos que se han de cumplir a la hora de otorgar las subvenciones

ESQUEMA 88. Requisitos que se han de cumplir a la hora de otorgar las subvenciones

	REQUISITOS QUE SE HAN DE CUMPLIR A LA HORA DE OTORGAR LAS SUBVENCIONES
COMUNICACIÓN A LA UNIÓN EUROPEA	De acuerdo con el artículo 108.3 del Tratado de Funcionamiento de la Unión Europea existe un deber de comunicación de los Estados miembros a la Comisión cuando se expresa que ésta será informada de los proyectos de las Administraciones Públicas u otros entes, dirigidos a conceder o modificar ayudas con fondos públicos, con la suficiente antelación para que la Comisión pueda valorar la compatibilidad de las subvenciones proyectadas con el mercado interior. No se podrá hacer efectiva una subvención en tanto no sea considerada compatible con el mercado interior. Se considera que una subvención es incompatible con el mercado interior cuando afecta a los intercambios comerciales de los Estados miembros o falsean o amenazan con falsear la competencia, favoreciendo a determinadas empresas o producciones (artículo 107.1 Tratado de Funcionamiento de la Unión Europea).

ELABORACIÓN DE UN PLAN ESTRATÉGICO DE SUBVENCIONES	Los órganos de las Administraciones Públicas o cualesquiera entes que propongan el establecimiento de subvenciones han de concretar, previamente en un plan estratégico de subvenciones, los objetivos y efectos que se pretenden con su aplicación, el plazo necesario para su consecución, los costes previsibles y sus fuentes de financiación. El citado plan estratégico queda supeditado, en todo caso, al cumplimiento de los objetivos de estabilidad presupuestaria (artículo 8.1).
APROBACIÓN DE LAS BASES REGULADORAS	Con anterioridad al otorgamiento de las subvenciones se han de aprobar las normas que establezcan las bases reguladoras de su concesión, que han de concretar como mínimo los siguientes extremos: – Definición del objeto de la subvención. – Requisitos que deben reunir los beneficiarios para la obtención de la subvención y, en su caso, los miembros de personas jurídicas y de las agrupaciones de personas físicas o jurídicas, públicas o privadas sin personalidad; diario oficial en que se publicará el extracto de la convocatoria y la forma y el plazo en que deben presentarse las solicitudes. – Procedimiento de concesión de la subvención. – Criterios objetivos de otorgamiento de la subvención y, en su caso, ponderación de los mismos. – Órganos competentes para la ordenación, instrucción y resolución del procedimiento de concesión de la subvención y el plazo en que será notificada la resolución (artículos 9.2 y 17.3).
PUBLICACIÓN DE LAS BASES REGULADORAS	Las bases reguladoras de cada tipo de subvención se han de publicar en el "Boletín Oficial del Estado" o en el diario oficial correspondiente (artículo 9.3).
REQUISITOS ADICIONALES	De manera adicional, el otorgamiento de una subvención debe cumplir los siguientes requisitos: – La competencia del órgano administrativo concedente. – La tramitación del procedimiento de concesión de acuerdo con las normas que resulten de aplicación. – La aprobación del gasto por el órgano competente para ello (artículo 9.4). – La existencia de crédito adecuado y suficiente para atender las obligaciones de contenido económico que derivan de la concesión de la subvención.
LÍMITE DE LA CUANTÍA	No se pueden otorgar subvenciones por una cuantía superior a la determinada en la convocatoria (artículo 22.3).

PUBLICIDAD DE LAS SUBVENCIONES	– El sistema nacional de publicidad de las subvenciones se articula a través de la Base de Datos Nacional de Subvenciones, que es administrada y custodiada por la Intervención General de la Administración del Estado. – A tales efectos, las Administraciones concedentes deben remitir a la Base de Datos Nacional de Subvenciones la información relativa sobre las convocatorias de subvenciones y las subvenciones concedidas. Para ello, la Intervención General de la Administración del Estado dictará las Instrucciones oportunas para concretar los datos y documentos integrantes de la Base de Datos Nacional de Subvenciones, los plazos y procedimientos de remisión de la información, incluidos los electrónicos, así como la información que sea objeto de publicación para conocimiento general y el plazo de su publicación, que se fijará de modo que se promueva el ejercicio de los derechos de los interesados. – Por otro lado, los beneficiarios deben dar publicidad de las subvenciones y ayudas percibidas en los términos y condiciones determinados en la Ley 19/2013, de 9 de diciembre, de Transparencia, Acceso a la Información Pública y Buen Gobierno. Cuando el beneficiario sea una entidad sin ánimo de lucro, que únicamente persiga fines de interés social o cultural cuyo presupuesto sea inferior a 50.000 euros, esta obligación de publicidad se podrá satisfacer electrónicamente a través de la Base de Datos Nacional de Subvenciones. – Además, los beneficiarios deben publicitar el carácter público de la financiación de los programas, actividades, inversiones o actuaciones de cualquier tipo que sean objeto de subvención (artículo 18 y 20).

3.2. Procedimientos de concesión de las subvenciones

3.2.1. El régimen de concurrencia competitiva

Esquema 89. **El régimen de concurrencia competitiva**

PROCEDIMIENTO ORDINARIO	**EL RÉGIMEN DE CONCURRENCIA COMPETITIVA**
	El régimen de concurrencia competitiva es el procedimiento ordinario de concesión de subvenciones (artículo 22.1).
DEFINICIÓN	El procedimiento de concurrencia competitiva es aquel mediante el cual la concesión de las subvenciones se realiza mediante la comparación de las solicitudes presentadas, con el objeto de establecer una prelación entre las mismas de acuerdo con los criterios de valoración previamente fijados en las bases reguladoras y en la convocatoria, y adjudicar aquellas solicitudes que hayan obtenido mayor valoración en aplicación de los citados criterios (artículo 22.1).

ÓRGANOS	La propuesta de concesión la realiza un órgano colegiado cuya composición se establece en las correspondientes bases reguladoras. La citada propuesta se elevará al órgano concedente a través de un órgano instructor (artículo 22.1).
EXCEPCIONES	– De manera excepcional, y siempre que lo prevean las bases reguladoras, el órgano competente procederá al prorrateo, del importe global máximo destinado a las subvenciones, entre los beneficiarios de la subvención. – Las bases reguladoras de la subvención podrán prescindir del proceso de fijar un orden de prelación entre las solicitudes presentadas que reúnan los requisitos establecidos, en el caso que, de acuerdo con el número de solicitudes existentes una vez finalizado el plazo de presentación, el crédito consignado en la convocatoria sea suficiente para satisfacer a todas (artículo 55.1 del Reglamento de la LGS).

3.2.2. *El régimen de concesión directa*

Esquema 90. **El régimen de concesión directa**

	EL RÉGIMEN DE CONCESIÓN DIRECTA
PROCEDIMIENTO ESPECIAL	Desde el momento que el procedimiento en régimen de concurrencia competitiva es calificado por la LGS como el procedimiento ordinario, consideramos el régimen de concesión directa como un procedimiento especial.
SUPUESTOS	Se pueden conceder de forma directa las siguientes subvenciones: – Las previstas nominativamente —aquellas cuyo objeto, dotación presupuestaria y beneficiario aparecen determinados en el estado de gastos del presupuesto— en los Presupuestos Generales del Estado, de las Comunidades Autónomas o de las Entidades Locales, en los términos recogidos en los convenios y en la normativa reguladora de estas subvenciones. – Aquellas cuyo otorgamiento o cuantía venga impuesto a la Administración por una norma de rango legal, que seguirán el procedimiento de concesión que les resulte de aplicación de acuerdo con su propia normativa. – Con carácter excepcional, aquellas otras subvenciones en que se acrediten razones de interés público, social, económico o humanitario, u otras debidamente justificadas que dificulten su convocatoria pública (artículo 22.2).

4. El procedimiento de gestión y justificación de la subvención pública

4.1. La subcontratación (art. 29)

Esquema 91. La subcontratación (art. 29)

	LA SUBCONTRATACIÓN (ART. 29)
CONCEPTO	Se entiende que un beneficiario subcontrata cuando concierta con terceros la ejecución total o parcial de la actividad que constituye el objeto de la subvención. Queda fuera de este concepto la contratación de aquellos gastos en que tenga que incurrir el beneficiario para la realización por sí mismo de la actividad subvencionada (artículo 29.1).
LÍMITES	– El beneficiario solo podrá subcontratar la actividad de manera total o parcial cuando la normativa que regula la subvención así lo prevea. – La actividad subvencionada que el beneficiario subcontrate con terceros no excederá del porcentaje que se fije en las bases reguladoras de la subvención. En el supuesto de que tal previsión no figure, el beneficiario podrá subcontratar hasta un porcentaje que no exceda del 50 por 100 del importe de la actividad subvencionada. – En ningún caso podrán subcontratarse actividades que, aumentando el coste de la actividad subvencionada, no aporten valor añadido al contenido de la misma. – Cuando la actividad concertada con terceros exceda del 20 por 100 del importe de la subvención y dicho importe sea superior a 60.000 euros, la subcontratación estará sometida al cumplimiento de los siguientes requisitos: a) Que el contrato se celebre por escrito. b) Que la celebración del mismo se autorice previamente por la entidad concedente de la subvención en la forma que se determine en las bases reguladoras. – No podrá fraccionarse un contrato con el objeto de disminuir la cuantía del mismo y eludir el cumplimiento de los requisitos exigidos en el apartado anterior.

OBLIGACIONES	– Del beneficiario: a) Asume la total responsabilidad frente a la Administración de la ejecución de la actividad subvencionada. b) Es responsable de que en la ejecución de la actividad subvencionada concertada con terceros se respeten los límites establecidos en la normativa reguladora de la subvención en cuanto a la naturaleza y cuantía de los gastos subvencionables. – Del contratista: a) Solo queda obligado a la ejecución de la actividad ante el beneficiario. b) Está sujeto al deber de colaboración necesario para posibilitar una adecuada verificación, por parte de la Administración, del cumplimiento de los límites establecidos en la normativa reguladora de la subvención en cuanto a la naturaleza y cuantía de los gastos subvencionables.
SUJETOS CON LOS QUE EL BENEFICIARIO NO PUEDE SUBCONTRATAR LA EJECUCIÓN TOTAL O PARCIAL DE LAS ACTIVIDADES SUBVENCIONADAS	– Personas o entidades incursas en alguna de las prohibiciones para obtener la condición de beneficiario o de entidad colaboradora, que son las siguientes: a) Haber sido condenadas mediante sentencia firme a la pena de pérdida de la posibilidad de obtener subvenciones o ayudas públicas o por delitos de prevaricación, cohecho, malversación de caudales públicos, tráfico de influencias, fraudes y exacciones ilegales o delitos urbanísticos. b) Haber solicitado la declaración de concurso voluntario, haber sido declarados insolventes en cualquier procedimiento, hallarse declarados en concurso, salvo que en éste haya adquirido la eficacia un convenio, estar sujetos a intervención judicial o haber sido inhabilitados conforme a la Ley Concursal sin que haya concluido el periodo de inhabilitación fijado en la sentencia de calificación del concurso. c) Haber dado lugar, por causa de la que hubiesen sido declarados culpables, a la resolución firme de cualquier contrato celebrado con la Administración. d) Estar incursa la persona física, los administradores de las sociedades mercantiles o aquellos que ostenten la representación legal de otras personas jurídicas, en alguno de los supuestos de la Ley 3/2015, de 30 de marzo, Reguladora del ejercicio del Alto cargo de la Administración General del Estado, de la Ley 53/1984, de 26 de diciembre, de Incompatibilidades del Personal al Servicio de las Administraciones Públicas, o tratarse de cualquiera de los cargos electivos regulados en la Ley Orgánica 5/1985, de 19 de junio, del Régimen Electoral General, en los términos establecidos en la misma o en la normativa autonómica que regule estas materias. e) No hallarse al corriente en el cumplimiento de las obligaciones tributarias o frente a la Seguridad Social impuestas por las disposiciones vigentes, en la forma que se determine reglamentariamente.

SUJETOS CON LOS QUE EL BENEFICIARIO NO PUEDE SUBCONTRATAR LA EJECUCIÓN TOTAL O PARCIAL DE LAS ACTIVIDADES SUBVENCIONADAS (cont.)	f) Tener la residencia fiscal en un país o territorio calificado reglamentariamente como paraíso fiscal.
	g) No hallarse al corriente de pago de obligaciones por reintegro de subvenciones en los términos que reglamentariamente se determinen.
	h) Haber sido sancionado mediante resolución firme con la pérdida de la posibilidad de obtener subvenciones conforme a ésta u otras leyes que así lo establezcan.
	i) Las agrupaciones de personas físicas o jurídicas, públicas o privadas sin personalidad cuando concurra alguna de las prohibiciones anteriores en cualquiera de sus miembros.
	j) Aquellas empresas de las que, por razón de las personas que las rigen o de otras circunstancias, pueda presumirse que son continuación o que derivan, por transformación, fusión o sucesión, de otras empresas en las que hubiesen concurrido aquéllas.
	k) Las asociaciones que en su proceso de admisión o en su funcionamiento discriminen por razón de nacimiento, raza, sexo, religión, opinión o cualquier otra condición o circunstancia personal o social.
	l) Las asociaciones que con su actividad promuevan o justifiquen el odio o la violencia contra personas físicas o jurídicas, o enaltezcan o justifiquen por cualquier medio los delitos de terrorismo o de quienes hayan participado en su ejecución, o la realización de actos que entrañen descrédito, menosprecio o humillación de las víctimas de los delitos terroristas o de sus familiares.
	m) Las asociaciones respecto de las que se hubiera suspendido el procedimiento administrativo de inscripción por encontrarse indicios racionales de ilicitud penal, en tanto no recaiga resolución judicial firme en cuya virtud pueda practicarse la inscripción en el correspondiente registro.
	– Personas o entidades que hayan recibido otras subvenciones para la realización de la actividad objeto de contratación.
	– Intermediarios o asesores en los que los pagos se definan como un porcentaje del coste total de la operación, a menos que dicho pago esté justificado con referencia al valor de mercado del trabajo realizado o los servicios prestados.
	– Personas o entidades vinculadas con el beneficiario, salvo que concurran las siguientes circunstancias:
	  a) Que se obtenga la previa autorización expresa del órgano concedente.
	  b) Que el importe subvencionable no exceda del coste incurrido por la entidad vinculada. La acreditación del coste se realizará en la justificación en los mismos términos establecidos para la acreditación de los gastos del beneficiario.
	– Personas o entidades solicitantes de ayuda o subvención en la misma convocatoria y programa, que no hayan obtenido subvención por no reunir los requisitos o no alcanzar la valoración suficiente.

4.2. *La justificación de las subvenciones públicas (art. 30)*

ESQUEMA 92. La justificación de las subvenciones públicas (art. 30)

	LA JUSTIFICACIÓN DE LAS SUBVENCIONES PÚBLICAS (ART. 30)
¿QUIÉN HA DE JUSTIFICAR?	– Esta obligado a justificar el beneficiario o la entidad colaboradora. – Los miembros de las agrupaciones de personas físicas o jurídicas, públicas o privadas sin personalidad que tengan la condición de beneficiarias y los miembros asociados del beneficiario que se comprometan a efectuar la totalidad o parte de las actividades que fundamentan la concesión de la subvención también están obligados a cumplir los requisitos de justificación respecto de las actividades realizadas en nombre y por cuenta del beneficiario. Esta documentación formará parte de la justificación que viene obligado a rendir el beneficiario que solicitó la subvención.
¿QUÉ ES LO QUE SE JUSTIFICA?	– Se justifica el cumplimiento de las condiciones impuestas y la consecución de los objetivos previstos en el acto de concesión de la subvención.
¿COMO SE JUSTIFICA? **¿DE QUE FORMA?**	– La subvención se justifica a través de la documentación que se determine, pudiendo revestir la forma de cuenta justificativa del gasto realizado o acreditarse dicho gasto por módulos o mediante la presentación de estados contables. – Las subvenciones que se conceden en atención a la concurrencia de una determinada situación en el receptor no requieren otra justificación que la acreditación de dicha situación previamente a la concesión, sin perjuicio de los controles que puedan establecerse para verificar su existencia.
¿QUÉ ES LA RENDICIÓN DE CUENTA JUSTIFICATIVA?	La rendición de cuenta justificativa es un acto obligatorio del beneficiario o de la entidad colaboradora en el que se deben incluir, bajo responsabilidad del declarante, los justificantes de gasto o cualquier otro documento con validez jurídica que permitan acreditar el cumplimiento del objeto de la subvención pública.

FORMA Y PLAZO DE RENDICIÓN DE LA CUENTA JUSTIFICATIVA	– Tanto la forma de la cuenta justificativa como su plazo de rendición vienen determinados por las bases reguladoras de las subvenciones públicas. A falta de previsión de estos datos en las bases reguladoras: a) La cuenta justificativa debe incluir una declaración de las actividades realizadas que han sido financiadas con la subvención y su coste, con el desglose de cada uno de los gastos incurridos. b) Su presentación se realizará, como máximo, en el plazo de tres meses desde la finalización del plazo para la realización de la actividad.
¿CÓMO SE ACREDITAN LOS GASTOS?	– Los gastos se acreditan mediante facturas y demás documentos de valor probatorio equivalente con validez en el tráfico jurídico mercantil o con eficacia administrativa. – La acreditación de los gastos también podrá efectuarse mediante facturas electrónicas, siempre que cumplan los requisitos exigidos para su aceptación en el ámbito tributario. – Se prevé el establecimiento, a nivel reglamentario, de un sistema de validación y estampillado de justificantes de gasto que permita el control de la concurrencia de subvenciones. – En el caso de adquisición de bienes inmuebles se debe aportar, además de los justificantes mencionados, certificado de tasador independiente debidamente acreditado e inscrito en el correspondiente registro oficial.
EN EL CASO DE LA EXISTENCIA DE OTRAS FUENTES DE FINANCIACIÓN	Cuando las actividades objeto de subvención también hayan sido financiadas con fondos propios u otras subvenciones o recursos, se tendrá que acreditar en la justificación el importe, procedencia y aplicación de tales fondos a las actividades subvencionadas.
EL INCUMPLIMIENTO DE LA OBLIGACIÓN DE JUSTIFICACIÓN	El incumplimiento de la obligación de justificación de la subvención en los términos expuestos o la justificación insuficiente de la subvención llevará aparejado el reintegro de la subvención en las condiciones previstas en la LGS.

4.3. *Los gastos subvencionables (art. 31)*

ESQUEMA 93. Los gastos subvencionables (art. 31)

	LOS GASTOS SUBVENCIONABLES (ART. 31)
DEFINICIÓN DE GASTO SUBVENCIONABLE	Son gastos subvencionables aquellos que de forma indudable responden a la naturaleza de la actividad subvencionada, resulten estrictamente necesarios y se realizan en el plazo establecido por las diferentes bases reguladoras de las subvenciones. En ningún caso el coste de adquisición de los gastos subvencionables podrá ser superior al valor de mercado. Cuando no se haya establecido un plazo concreto, los gastos deberán realizarse antes de que finalice el año natural en que se haya concedido la subvención.
DEFINICIÓN DE GASTO REALIZADO	Si las bases reguladoras de la subvención no expresan lo contrario, se considera gasto realizado el que ha sido pagado con anterioridad a la finalización del periodo de justificación determinado por la normativa reguladora de la subvención.
OBLIGACIÓN DE SOLICITAR TRES OFERTAS SI EL GASTO SUBVENCIONABLE SUPERA DETERMINADA CUANTÍA Y CRITERIOS PARA LA ELECCIÓN DE LAS OFERTAS	– Cuando el importe del gasto subvencionable supere las cuantías establecidas en la Ley 9/2017, de 8 de noviembre, de Contratos del Sector Público, para el contrato menor, el beneficiario deberá solicitar como mínimo tres ofertas de diferentes proveedores, con carácter previo a la contratación del compromiso para la obra, la prestación del servicio o la entrega del bien, salvo que: a) Por las especiales características de los gastos subvencionables no exista en el mercado suficiente número de entidades que los realicen, suministren o presten. b) El gasto se hubiera realizado con anterioridad a la solicitud de la subvención. – La elección entre las ofertas presentadas, que deberán aportarse en la justificación, o, en su caso, en la solicitud de la subvención, se realizará conforme a criterios de eficiencia y economía, debiendo justificarse expresamente en una memoria la elección cuando no recaiga en la propuesta económica más ventajosa.

REGLAS SOBRE LA ADQUISICIÓN, CONSTRUCCIÓN, REHABILITACIÓN Y MEJORA DE BIENES INVENTARIABLES	– En los supuestos de adquisición, construcción, rehabilitación y mejora de bienes inventariables, las bases reguladoras han de fijar el periodo durante el cual el beneficiario ha de destinar los bienes al fin concreto para el que se ha concedido la subvención, que no podrá ser inferior a cinco años en caso de bienes inscribibles en un registro público, ni inferior a dos años para el resto de bienes.
	 – En el caso de bienes inscribibles en un registro público, esta vinculación del bien a un fin determinado en un periodo concreto deberá hacerse constar en la escritura, así como el importe de la subvención concedida. Esta información también se ha de inscribir en el registro público correspondiente.
	 – El incumplimiento de la obligación de destino que se produce, en todo caso, con la enajenación o el gravamen del bien será causa de reintegro en los términos establecidos en la LGS, quedando el bien afecto al pago del reintegro cualquiera que sea su poseedor, salvo que resulte ser un tercero protegido por la fe pública registral o se justifique la adquisición de los bienes con buena fe y justo título o en establecimiento mercantil o industrial, en caso de bienes muebles no inscribibles.
	 – No se considera incumplida la obligación de destino cuando:
	   a) Tratándose de bienes no inscribibles en un registro público, fueran sustituidos por otros que sirvan en condiciones análogas al fin para el que se concedió la subvención y este uso se mantenga hasta completar el periodo establecido, siempre que la sustitución haya sido autorizada por la Administración concedente.
	   b) Tratándose de bienes inscribibles en un registro público, el cambio de destino, enajenación o gravamen sea autorizado por la Administración concedente. En este supuesto, el adquiriente asumirá la obligación de destino de los bienes por el periodo restante y, en caso de incumplimiento de la misma, del reintegro de la subvención.

NORMAS SOBRE LA AMORTIZACIÓN DE BIENES INVENTARIABLES	– Las bases reguladoras de las subvenciones establecerán, en su caso, las reglas especiales que se consideren oportunas en materia de amortización de los bienes inventariables. No obstante, el carácter subvencionable del gasto de amortización estará sujeto a las siguientes condiciones:
	   a) Que las subvenciones no hayan contribuido a la compra de los bienes.
	   b) Que la amortización se calcule de conformidad con las normas de contabilidad generalmente aceptadas.
	   c) Que el coste se refiera exclusivamente el período subvencionable.

OTROS GASTOS SUBVENCIONABLES	Son subvencionables: – Los gastos financieros, los gastos de asesoría jurídica o financiera, los gastos notariales y registrales y los gastos periciales para la realización del proyecto subvencionado y los de administración específicos si están directamente relacionados con la actividad subvencionada, son indispensables para la adecuada preparación o ejecución de la misma y siempre que así se prevea en las bases reguladoras. Con carácter excepcional, los gastos de garantía bancaria podrán ser subvencionados cuando así lo prevea la normativa reguladora de la subvención. – Los tributos son gasto subvencionable cuando el beneficiario de la subvención los abona efectivamente. – Los costes indirectos se pueden imputar por el beneficiario a la actividad subvencionada en la parte que razonablemente corresponda de acuerdo con principios y normas de contabilidad generalmente admitidas y, en todo caso, en la medida en que tales costes correspondan al período en que efectivamente se realiza la actividad.
GASTOS NO SUBVENCIONABLES	No son gastos subvencionables: a) Los intereses deudores de las cuentas bancarias. b) Intereses, recargos y sanciones administrativas y penales. c) Los gastos de procedimientos judiciales. d) Los impuestos indirectos cuando sean susceptibles de recuperación o compensación. e) Los impuestos personales sobre la renta.

Capítulo 10

Los procedimientos de responsabilidad patrimonial de las administraciones públicas[*]

1. Introducción

- Originariamente el principio *king can do not wrong* no permitía la responsabilidad del rey ni del Estado. A finales del siglo XIX y principios del XX algunos textos legales reconocen cierta responsabilidad del Estado, pero de forma muy reducida y sólo en ciertos sectores.

- A partir del 1889, con el Cc, se va desarrollando la posibilidad de reclamar responsabilidades a la Administración pública cuando haya causado daños. La Ley de 5 de abril de 1904 de responsabilidad civil de los funcionarios, es un ejemplo de ello. Más tarde, la Constitución de la II República, reconoce esta posibilidad y se ve reflejada normativamente en la Ley municipal de 31 de octubre de 1935. Posteriormente la Ley de Régimen Local de 1950 también lo contempla.

- Unos años más tarde, por una parte, los artículos 121 y 122 de la Ley de Expropiación Forzosa de 1954 incorporan la Responsabilidad Patrimonial y, por otra, el artículo 40 de la Ley del Régimen Jurídico de la Administración del Estado de 1957 incluye este principio de responsabilidad del Estado en esta ley básica dándole mayor solemnidad. En 1978 se constitucionaliza y, finalmente, en 1992, se establece su regulación a través de la Ley 30/1992, de 26 de noviembre, de Régimen Jurídico de las Administraciones Públicas y del Procedimiento Administrativo Común (LRJPAC), que fue modificada por la ley 4/1999, de 13 de enero, por la que se modifica la ley 30/1992, que afectó algunos artículos que regulan la responsabilidad patrimonial de las

---

[*] Dra. Aitana De la Varga Pastor, *Profesora Agregada de Derecho Administrativo, Universitat Rovira i Virgili.*

administraciones públicas. Con la incorporación en el ordenamiento jurídico español de la Ley 13/2009, de 3 de noviembre, de Reforma de la Legislación Procesal para la implantación de la nueva Oficina Judicial, se modifica a través del artículo 9 el artículo 139 de la ley 30/1992 relativo a la Responsabilidad Patrimonial de las administraciones públicas. Más recientemente, la Ley 2/2011, de 4 de marzo, de economía sostenible, también ha incorporado cambios, en este caso en su artículo 142.3. La LRJPAC regulaba la responsabilidad patrimonial de la Administración pública, regulando los principios, los distintos supuestos en que surge, la indemnización, los procedimientos y la responsabilidad de las autoridades y personal al servicio de las Administraciones públicas. Esta ley y el reglamento que la desarrollaba, el Real Decreto 429/1993, de 26 de marzo, por el que se aprueba, el reglamento de los procedimientos en materia de responsabilidad patrimonial de las Administraciones públicas han sido derogados por la Ley 39/2015, de 1 de octubre, del Procedimiento Administrativo Común de las Administraciones Públicas (LPACAP) y por la ley 40/2015, de 1 de octubre, de Régimen Jurídico del Sector Público (LRJCP).

2. LEGISLACIÓN APLICABLE

La normativa aplicable en la actualidad a la responsabilidad patrimonial de las Administraciones públicas es principalmente la Constitución y el desarrollo realizado a través del capítulo IV de la LRJSP y de varios artículos de la LPACAP en lo que concierne al procedimiento.

ESQUEMA 94. Legislación aplicable

	LEGISLACIÓN APLICABLE
Art. 106 CE	Consagración del **principio de responsabilidad patrimonial extracontractual de las Administraciones públicas** (por la lesión que sufran los particulares en cualquiera de sus bienes y derechos, salvo en los casos de fuerza mayor, siempre que la lesión sea consecuencia del funcionamiento de los servicios públicos).

Art. 148.1. 18 CE	**Títulos competenciales:** ✓ Competencia exclusiva del Estado. ✓ Posibilidad que las Comunidades autónomas que tengan asumidas competencias normativas en materia de responsabilidad patrimonial establezcan especialidades procedimentales.
Arts. 1,13, 34 y título VI (art.48) TRLSRU	Responsabilidad patrimonial de la AP en la esfera **urbanística.**
Art. 54 LRBRL	Responsabilidad patrimonial de la **Administración local.**
Capítulo IV LRJSP	Desarrollo del **principio de responsabilidad patrimonial extracontractual de las Administraciones Públicas.**
Varios arts. LPACAP	Cuestiones relacionadas con el **procedimiento** de responsabilidad patrimonial extracontractual de las Administraciones Públicas.
Art. 121 CE Arts. 292 a 297 LOPJ	Responsabilidad patrimonial del Estado por el funcionamiento de la **Administración de Justicia.** • La STC 85/2019 declara inconstitucional y nulo el inciso del art. 294.1 "inexistencia del hecho imputado" • Se modifica el art. 296 y se suprime el art. 297 por la LO 7/2015, de 21 de julio.
Arts. 121 y ss. de la LEF	No existe derogación formal de cierta normativa anteriormente vigente, pero de la regulación actual se deriva su **derogación implícita.**
Arts. 133 a 138 del REF	Otros preceptos fueron **formalmente derogados** por el Reglamento de desarrollo.

3. Principios que rigen el régimen de responsabilidad patrimonial de las Administraciones Públicas (RPA)

3.1. *Principios que rigen el régimen de responsabilidad patrimonial de las Administraciones Públicas*

Esquema 95. Principios que rigen el régimen de responsabilidad patrimonial de las Administraciones Públicas

PRINCIPIOS QUE RIGEN EL RÉGIMEN DE RESPONSABILIDAD PATRIMONIAL DE LAS ADMINISTRACIONES PÚBLICAS	
UNIDAD	• Se trata de un régimen unitario —rige para todas las AAPP, en cuanto la LPACAP y la LRJSP son normativa básica—. • Cabe apuntar que las CCAA que tengan asumidas competencias normativas en materia de responsabilidad patrimonial podrán tener especialidades procedimentales.
GENERALIDAD	• Abarca toda la actividad administrativa, fáctica o jurídica, por acción u omisión.
DE RESPONSABILIDAD DIRECTA	• La AP responde por los daños anónimos a ella imputables. • Cubre también de forma directa la eventual acción dañosa de sus empleados.
DE RESPONSABILIDAD OBJETIVA	• La responsabilidad pivota sobre la idea de lesión y no de la culpa. • Pretensión de reparación integral.
UNIDAD JURISDICCIONAL	• Debe conocer el orden contencioso-administrativo (art. 2.e) LJCA). • Sólo quiebra en materia penal.
PRESCRIPCIÓN	• Plazo de 1 año. • Existen excepciones en las que el plazo será más largo.

4. PRINCIPIOS DE LA RESPONSABILIDAD PATRIMONIAL DE LAS ADMINISTRACIONES PÚBLICAS

Para que surja responsabilidad patrimonial de la Administración Pública deben concurrir una serie de requisitos.

4.1. Requisitos para la existencia de responsabilidad patrimonial de las Administraciones Públicas

ESQUEMA 96. Requisitos para la existencia de responsabilidad patrimonial de las Administraciones Públicas

	REQUISITOS PARA LA EXISTENCIA DE RESPONSABILIDAD PATRIMONIAL DE LAS ADMINISTRACIONES PÚBLICAS
LESIÓN EN BIENES Y DERECHOS	– Daño injusto y antijurídico, que el particular no tiene el deber de soportar conforme a la ley. – Debe ser: ✓ Efectivo (real) ✓ Evaluable económicamente (daño moral incluido) ✓ Individualizable/individualizado (no general), con relación a una persona o grupo de personas.
IMPUTABLE A LA ADMINISTRACIÓN	– Consecuencia del funcionamiento normal o anormal de los servicios públicos. – Tanto si se ha producido por una autoridad o empleado identificado como si ha sido un daño anónimo producido "dentro" de la organización administrativa.
RELACIÓN DE CAUSALIDAD	– Entre el daño causado y la actuación o inactuación de la Administración pública. – Centro de referencia de los sistemas objetivos de responsabilidad. – Elemento esencial para determinar la existencia de responsabilidad patrimonial: ✓ Causalidad exclusiva y directa (ya no exigida por la jurisprudencia). ✓ Se admite la causalidad concurrente e incluso indirecta (traducida en la eventual ponderación de la indemnización). – Teorías de la causalidad.

4.1.1. *Lesión*

Esquema 97. **Lesión (art. 32.2 LRJSP)**

LESIÓN	
• Responsabilidad objetiva - no se exige culpa. • Se exige anitjuridicidad e ilicitud.	
Daño efectivo	• Es cierto, ya producido, real. • Se excluyen los daños eventuales o simplemente posibles, pero no actuales. • Pueden ser futuros, pero de producción indudable y necesaria.
Daño evaluable económicamente	• Es necesario que se haya producido un auténtico quebranto patrimonial. • No sólo simples molestias o perjuicios subjetivos sin trascendencia económica objetiva. • La evaluación incluye el daño moral, cuya valoración siempre tendrá cierto carácter subjetivo.
Daño individualizado o grupo de personas	• Con relación a una persona o grupo de personas. • Excluye las cargas o incomodidades generales que, por exigencias de los intereses públicos, la Administración pública puede hacer gravitar sobre los particulares al hacer organizar los servicios públicos[*].
* Todo ello conforme a la jurisprudencia del TS. • Destacamos las recientes SSTS 1263/2018, de 17 de julio; 1654/2019, de 2 de diciembre; 62/2020, de 23 de enero y 135/2020, de 5 de febrero.	

4.1.2. *Imputable a la Administración Pública*

Esquema 98. **Imputable a la Administración Pública**

IMPUTABLE A LA ADMINISTRACIÓN PÚBLICA

• Como consecuencia del funcionamiento normal o anormal de la Administración Pública.
  ✓ Quedan incluidos los daños ilegítimos que son consecuencia de una **actividad culpable** de la Administración Pública o de sus agentes y también aquellos daños producidos por una **actividad perfectamente lícita**, incluyendo así, dentro de la cobertura patrimonial, los daños causados involuntariamente.
  ✓ Quedan incluidos tanto la actividad como la inactividad de la Administración Pública.
    ■ ACTIVIDAD engloba:
      – Reglamentos:
        ❑ Responsabilidad derivada del ejercicio de la potestad reglamentaria.
        ❑ Responsabilidad derivada de la vigencia de una disposición general.
        ❑ Responsabilidad por inactividad del ejercicio de la potestad reglamentaria.
      – Actos administrativos:
        ❑ Actos válidos.
        ❑ Actos inválidos.
        ❑ Actos legitimadores de la actividad por los administrados.
      – Hechos y actuaciones materiales.
    ■ INACTIVIDAD:
      – La no decisión de los procedimientos incoados a instancia del interesado.
      – La pasividad ante las denuncias de los administrados.
      – La no adopción de medidas adecuadas.
• Como consecuencia del funcionamiento de los servicios públicos:
  ✓ Concepto de "servicio público" en este ámbito – se emplea en el más amplio sentido de función o actividad administrativa, como sinónimo de todo lo que hace ordinariamente la Administración Pública.

> ✓ Comprende:
> - La actividad de servicio público en sentido estricto o prestacional.
> - La actividad de policía o limitación.
> - La actividad sancionadora y la arbitral.
> - La actividad de fomento cuando en ejercicio de esta se favorezcan a unos administrados en detrimento de otros y eso provoque daños.
> ✓ Así pues, basta que se trate de una actividad pública. Se acoge la acepción más general de servicio público.
> - La Administración Pública también podrá resultar responsable por "culpa in vigilando" – cuando debía haber actuado y no lo hizo y cuya falta de actuación establece el nexo de causalidad con el daño ocasionado.

4.1.3. Relación de causalidad. El nexo causal

ESQUEMA 99. **Relación de causalidad. El nexo causal**

RELACIÓN DE CAUSALIDAD EL NEXO CAUSAL	
• Entre la actuación administrativa y el daño debe existir una relación de causalidad.	
REQUISITOS	• El nexo causal ha de ser: **directo, inmediato y exclusivo.** • En ocasiones basta que sea: **indirecto, sobrevenido y concurrente** con hechos dañosos de terceros o de la propia víctima (así lo admite la jurisprudencia). Se admiten así formas mediatas, indirectas y concurrentes de relación de causalidad.
REPARACIÓN	• En el primer caso la reparación a cargo de la Administración Pública será íntegra, absoluta y total. • En el segundo caso, si existen otras concausas, la reparación a cargo de la Administración Pública se debe moderar proporcionalmente. ✓ Existirá la llamada **concurrencia de culpas**, la cual no arrastra necesariamente una exoneración total de la responsabilidad y puede dar lugar a una compensación o moderación en la cuantificación de la indemnización.

RUPTURA DE NEXO CAUSAL	• Se considerará fuerza mayor. • Se tratará de casos donde concurra la intencionalidad de la víctima en la producción o el padecimiento del daño o la gravísima negligencia de esta, siempre y cuando estas circunstancias hayan sido determinantes de la existencia de la lesión y de la consiguiente obligación de soportarla (STS 5 junio 1997, entre otras).

• Cabe apuntar que será esencial la existencia de nexo causal para que pueda haber responsabilidad por parte de la Administración Pública.
• Existe numerosa jurisprudencia al respecto.
Los casos son de muy diversa índole y por eso se tendrá que atender a las circunstancias de cada caso concreto para determinar si existe o no nexo causal y, en consecuencia, si existe responsabilidad por parte de la Administración Pública y, si es así, en qué medida.

4.2. *Causas de exoneración de la responsabilidad patrimonial de las Administraciones Públicas*

ESQUEMA 100. Causas de exoneración de la responsabilidad patrimonial de las Administraciones Públicas

CAUSAS DE EXONERACIÓN DE LA RESPONSABILIDAD PATRIMONIAL	

FUERZA MAYOR	• En caso de que se den todas las circunstancias anteriores es la **única** causa exonerante de la responsabilidad.
	• Si resulta un daño que el particular tiene el deber jurídico de soportar de acuerdo con la ley tampoco podrá caber responsabilidad.
	• Asimismo la anulación en vía administrativa o por el orden jurisdiccional contencioso administrativo de los actos o disposiciones administrativas no presupone, por sí misma, derecho a la indemnización.
	– CARACTERÍSTICAS:
	  ✓ Indeterminación irresistible – imposibilidad de evitar o resistir su producción, aun en el supuesto de que hubiera podido ser prevista.
	  ✓ Exterioridad-externidad del hecho respecto del bien o patrimonio que resulta dañado.
	  ✓ Imprevisión.
	  ✓ Inevitabilidad.

FUERZA MAYOR (cont.)	– Delimitación del concepto por parte del Consejo de Estado (Dictámenes de 29 de mayo de 1970 y de 28 de marzo de 1974, respectivamente): "acontecimientos insólitos y extraños al campo normal de las previsiones típicas de cada actividad o servicio" y "aquel suceso que no hubiera podido preverse o que previsto fuera inevitable, que haya causado un daño material y directo que exceda visiblemente de los accidentes propios del curso normal de la vida por la importancia y trascendencia de su manifestación".
	 – Se amplia el abanico de supuestos de fuerza mayor con la modificación de la LRJPAC a través de la ley 4/1999, de 13 de enero. El art. 34.1 sobre indemnización de la LPACAP lo mantiene:
	    ✓ No serán indemnizables los daños que se deriven de:
	       ❏ Hechos o circunstancias que no se hubieren podido prever o evitar según el estado de los conocimientos de la ciencia o de la técnica existentes en el momento de producción de aquellos [y añade], todo ello sin perjuicio de las prestaciones asistenciales o económicas que las leyes puedan establecer para estos casos.
	 – Destacan las STS de 31 de mayo de 1999; STS de 13 de diciembre de 2001 y SAN de 21 de diciembre de 2005.

4.3. *Causas que no exoneran la responsabilidad patrimonial de las Administraciones Públicas*

ESQUEMA 101. Causas que no exoneran la responsabilidad patrimonial de las Administraciones Públicas

CAUSAS QUE NO EXONERAN LA RESPONSABILIDAD PATRIMONIAL DE LAS ADMINISTRACIONES PÚBLICAS	

CASO FORTUITO	• Basada en la responsabilidad por riesgos, aunque se precisa una certidumbre racional de encontrarnos ante daños ocasionados por la organización administrativa que además merezcan el calificativo de lesión.
	 • CARACTERÍSTICAS
	    ✓ Indeterminación – La causa productora del daño es desconocida.
	    ✓ Interioridad – Se desenvuelve dentro del círculo de la actividad de la Administración Pública.
	    ✓ Previsión
	    ✓ Evitabilidad
	 • El problema que se plantea en este caso es ante todo de prueba.
	 • Es numerosa la jurisprudencia al respecto. Por ejemplo, la STS de 11 de diciembre de 1974; la STS de 31 de mayo de 1999 y la SAN de 21 de diciembre de 2005.

5. Responsabilidad concurrente de las Administraciones Públicas

5.1. Responsabilidad concurrente de las Administraciones Públicas (art. 33 LRJSP)

Esquema 102. Responsabilidad concurrente de las Administraciones Públicas

RESPONSABILIDAD CONCURRENTE DE LAS ADMINISTRACIONES PÚBLICAS		
Supuestos	**RÉGIMEN DE ACTUACIONES CONJUNTAS**	**OTROS SUPUESTOS DE CONCURRENCIA**
Requisitos	• La gestión dimanante de **fórmulas conjuntas** de actuación entre varias Administraciones Públicas. • Se den los requisitos exigidos para la responsabilidad general.	• Otros supuestos de concurrencia de varias Administraciones Públicas en la producción del daño.
Causas	• Responsabilidad solidaria.	• Responsabilidad solidaria sólo para el caso que no sea posible la determinación de distribución de responsabilidad entre las Administraciones Públicas.
Medios de determinación de la responsabilidad	• El instrumento jurídico regulador de la actuación conjunta **podrá** determinar la distribución de responsabilidad entre las diferentes Administraciones Públicas.	• La responsabilidad se fijará para cada Administración Pública atendiendo a los criterios de competencia, interés público tutelado e intensidad de la intervención.
Administración competente	• La Administración Pública competente para incoar, instruir y resolver los procedimientos en los que exista responsabilidad concurrente de varias administraciones será la fijada en los Estatutos o Reglas de la organización colegiada. En su defecto, la competencia vendrá atribuida a la Administración Pública con mayor participación en la financiación del servicio. Deberá consultar a las restantes administraciones implicadas para que en el plazo de quince días éstas puedan exponer cuanto consideren oportuno.		

6. Responsabilidad de Derecho Privado

6.1. Responsabilidad de Derecho privado (art. 35 LRJSP)

- Cuando las Administraciones Públicas actúen, directamente o a través de una entidad de derecho privado, en relaciones de esta naturaleza, su responsabilidad se exigirá de conformidad con lo previsto en los artículos 32 y siguientes, incluso cuando concurra con sujetos de derecho privado o la responsabilidad se exija directamente a la entidad de derecho privado a través de la cual actúe la Administración Pública o la entidad que cubra su responsabilidad.
- Sobre la posibilidad de ejercer solo la acción directa contra la aseguradora en vía civil véase STS núm. 3427/2019 (05.11.2019), de la jurisdicción civil.

7. Responsabilidad de las autoridades y personal al servicio de las administraciones públicas

7.1. Exigencia de responsabilidad patrimonial de las autoridades y personal al servicio de las Administraciones Públicas (art. 36 LRJSP). Aspectos generales

Esquema 103. Exigencia de responsabilidad patrimonial de las autoridades y personal al servicio de las Administraciones Públicas (art. 36 LRJSP). Aspectos generales

ASPECTOS GENERALES	
SUPUESTOS	• Cuando se hayan causado daños y perjuicios a bienes o derechos de los particulares, de los ciudadanos. • Cuando se hayan causado daños y perjuicios a bienes o derechos de la AP.
REQUISITOS PREVIOS	• Los particulares exigirán directamente a la Administración Pública correspondiente las indemnizaciones por los daños y perjuicios causados por autoridades y personal a su servicio. • La Administración Pública correspondiente cuando hubiere indemnizado a los lesionados lo exigirá de oficio en vía administrativa previa instrucción del correspondiente procedimiento.
SUJETOS RESPONSABLES	• Autoridades y demás personal al servicio de la Administración Pública. ✓ Que hubieran incurrido en responsabilidad por dolo, culpa o negligencia graves.

CRITERIOS DE PONDERACIÓN para determinar la exigencia de responsabilidad y cuantificación	✓ El resultado dañoso producido. ✓ El grado de culpabilidad. ✓ La responsabilidad profesional del personal al servicio de las Administraciones Públicas (A mayor capacitación profesional mayor responsabilidad). ✓ Su relación con la producción del resultado dañoso. Nexo causal.

8. PROCEDIMIENTOS DE RESPONSABILIDAD PATRIMONIAL DE LAS ADMINISTRACIONES PÚBLICAS

8.1. *Principios del procedimiento de responsabilidad patrimonial*

Para determinar la existencia de responsabilidad patrimonial de la Administración Pública y en qué medida se deberá responder será necesario seguir el procedimiento establecido por la LPACAP.

ESQUEMA 104. Especialidades de los procedimientos de Responsabilidad patrimonial

ESPECIALIDADES DEL PROCEDIMIENTO	

EN EL INICIO DE LOS PROCEDIMIENTOS (arts. 65, 61.4, 67)	• De oficio:
	  ✓ Será necesario que no haya prescrito el derecho de reclamación del interesado al que se refiere el art. 67.
	  ✓ El acuerdo de iniciación se notificará a los particulares presuntamente lesionados, concediéndoles un plazo de diez días para que aporten cuantas alegaciones, documentos o información estimen conveniente a su derecho y propongan cuantas pruebas sean pertinentes para el reconocimiento del mismo. El procedimiento iniciado se instruirá aunque los particulares presuntamente lesionados no se personen en el plazo establecido.
	  ✓ En caso de inicio del procedimiento por petición razonada de otros órganos, la petición deberá individualizar la lesión producida en una persona o grupo de personas, su relación de causalidad con el funcionamiento del servicio público, su evaluación económica si fuera posible y el momento en que la lesión efectivamente se produjo.

EN EL INICIO DE LOS PROCEDIMIENTOS (art. 65, 61.4, 67) (cont.)	• Por reclamación de los interesados: ✓ Los interesado sólo podrán solicitar el inicio de un procedimiento de responsabilidad patrimonial, cuando no haya prescrito su derecho a reclamar (art. 67). ✓ Este derecho prescribirá al año de producido el hecho o acto que motive la indemnización o se manifieste su efecto lesivo. En caso de daños de carácter físico o psíquico a las personas, el plazo empezará a computarse desde la curación o la determinación del alcance de las secuelas. ✓ En los casos que proceda derecho a indemnización por anulación en vía administrativa o contencioso-administrativa de un acto o disposición de carácter general, el derecho a reclamar prescribirá al año de haberse notificado la resolución administrativa o la sentencia definitiva. ✓ En los casos de responsabilidad patrimonial a que se refiere el art. 32, apartados 4 y 5 LRJSP, el derecho a reclamar prescribirá al año de la publicación en el BOE o en el DOUE, según el caso, de la sentencia que declare la inconstitucionalidad de la norma o su carácter contrario al Derecho de la Unión Europea. ✓ Además de los previsto en el art. 66 LPACAP en la solicitud que realicen los interesados se deberán especificar las lesiones producidas, la presunta relación de causalidad entre éstas y el funcionamiento del servicio público, la evaluación económica de la responsabilidad patrimonial, si fuera posible, y el momento en que la lesión efectivamente se produjo, e irá acompañada de cuantas alegaciones, documentos e informaciones se estimen oportunos y de la proposición de prueba, concretando los medios de que pretenda valerse el reclamante.
TRAMITACIÓN DEL PROCEDIMIENTO	• Se prevé la tramitación simplificada del procedimiento administrativo común (art. 96 LPACAP): ✓ En el caso de procedimientos de materia de responsabilidad patrimonial de las AAPP, si una vez iniciado el procedimiento administrativo el órgano competente para su tramitación considera inequívoca la relación de causalidad entre el funcionamiento de servicio público y la lesión, así como la valoración del daño y el cálculo de la cuantía de la indemnización, podrá acordar de oficio la suspensión del procedimiento general y la iniciación del **procedimiento simplificado.** • Participación de los interesados: ✓ En los procedimientos de responsabilidad patrimonial a los que se refiere el art. 32.9 LRJSP será necesario en todo caso la **audiencia del contratista,** notificándole cuantas actuaciones se realicen en el procedimiento, al efecto de que se persone en el mismo, exponga lo que a su derecho convenga y proponga cuantos medios de prueba estime oportunos (art. 82.5 LPACAP).

INFORME Y DICTÁMENES (Art. 81)	Será preceptivo solicitar **informe** al servicio cuyo funcionamiento haya ocasionado la presunta lesión indemnizable, no pudiendo exceder de diez días el plazo de su emisión. Cuando las indemnizaciones sean de cuantía igual o superior a 50.000 euros o a la que se establezca en la correspondiente legislación autonómica, así como en aquellos casos que disponga la LO 3/1980, de 22 de abril, del Consejo de Estado, será preceptivo solicitar dictamen del Consejo de Estado o, en su caso, del órgano consultivo de la Comunidad Autónoma. A estos efectos, el órgano instructor, en el plazo de diez días a contar desde la finalización del trámite de audiencia, remitirá al órgano competente para solicitar el **dictamen** una propuesta de resolución, que se ajustará a lo previsto en el art. 91, o, en su caso, la propuesta de acuerdo por el que se podría terminar convencionalmente el procedimiento. El dictamen se emitirá en el plazo de dos meses y deberá pronunciarse sobre la existencia o no de relación de causalidad entre el funcionamiento del servicio público y la lesión producida y, en su caso, sobre la valoración del daño causado y la cuantía y modo de la indemnización de acuerdo con los criterios establecidos en la LPACAP. En el caso de reclamaciones en materia de responsabilidad patrimonial del Estado por el funcionamiento anormal de la Administración de Justicia, será preceptivo el informe del CGPJ que será evacuado en el plazo máximo de dos meses. El plazo para dictar resolución quedará suspendido por el tiempo que medie entre la solicitud del informe y su recepción, no pudiendo exceder dicho plazo de los citados dos meses.

TERMINACIÓN DEL PROCEDIMIENTO (Arts. 86.5 y 91)	• Terminación convencional (art. 86.5):
	  ✓ En los casos de procedimientos de responsabilidad patrimonial, el acuerdo alcanzado entre las partes deberá fijar la cuantía y modo de indemnización de acuerdo con los criterios que para calcularla y abonarla establece el art. 34 LRJSP.
	• Especialidades de la resolución:
	  ✓ Una vez recibido, en su caso, el dictamen al que se refiere el art. 81.2 o, cuando éste no sea preceptivo, una vez finalizado el trámite de audiencia, el órgano competente resolverá o someterá la propuesta de acuerdo para su formalización por el interesado y por el órgano administrativo competente para suscribirlo.
	  ✓ Cuando no se estimase procedente formalizar la propuesta de terminación convencional, además de lo previsto en el art. 88, será necesario que la resolución se pronuncie sobre la existencia o no de la relación de causalidad entre el funcionamiento del servicio público y la lesión producida y, en su caso, sobre la valoración del daño causado, la cuantía y el modo de la indemnización, cuando proceda, de acuerdo con los criterios que para calcularla y abonarla se establecen en el art. 34 LRJSP.

TERMINACIÓN DEL PROCEDIMIENTO (Art. 91) (cont.)	✓ Transcurridos seis meses desde que se inició el procedimiento sin que haya recaído y se notifique resolución expresa o, en su caso, se haya formalizado el acuerdo, podrá entenderse que la resolución es contraria a la indemnización del particular.
COMPETENCIA PARA RESOLVER (Art. 92)	• En el ámbito de la **AGE,** los procedimientos se resolverán por el Ministro respectivo o por el Consejo de Ministros en los casos del art. 32.3 LRJSP o cuando una ley así lo disponga. • En el ámbito **autonómico y local,** los procedimientos de responsabilidad patrimonial se resolverán por los órganos correspondientes de las CCAA o de las Entidades que integran la Administración Local. • En el caso de la **Entidades de Derecho Público,** las normas que determinen su régimen jurídico podrán establece los órganos a quien corresponde la resolución de los procedimientos de responsabilidad patrimonial. En su defecto, se aplicarán las normas previstas en este art. 92 LPACAP.
FIN DE LA VÍA ADMINISTRATIVA (Art. 114)	• Pone **fin a la vía administrativa,** cualquiera que fuese el tipo de relación, pública o privada, de que derive.
TRANSITORIA (D.T. 5ª)	• Los procedimientos administrativos de responsabilidad patrimonial derivados de la declaración de inconstitucionalidad de una norma o su carácter contrario al Derecho de la Unión Europea iniciados con anterioridad a la entrada en vigor de esta LPACAP, se resolverán de acuerdo con la normativa vigente en el momento de su iniciación.

8.2 *Procedimiento de responsabilidad de autoridades y personal al servicio de las Administraciones Públicas*

ESQUEMA 105. Procedimiento de responsabilidad de autoridades y personal al servicio de las Administraciones Públicas

PROCEDIMIENTO DE RESPONSABILIDAD DE AUTORIDADES Y PERSONAL AL SERVICIO DE LAS ADMINISTRACIONES PÚBLICAS (art. 36, apartados 4, 5 y 6 LRJSP)	
PROCEDIMIENTO	✓ Conforme a la LPACAP.
INICIO	✓ Por acuerdo del órgano competente que se notificará a los interesados.
TRÁMITES MÍNIMOS	✓ Constará al menos de los siguientes trámites: • Alegaciones. • Práctica de las pruebas admitidas y cualesquiera otras que el órgano competente estime oportunas durante un plazo de quince días. • Audiencia durante un plazo de diez días. • Formulación de la propuesta de resolución en un plazo de cinco días a contar desde la finalización del trámite de audiencia. • Resolución por el órgano competente en el plazo de cinco días.
RESOLUCIÓN	✓ La resolución declaratoria de responsabilidad pondrá fin a la vía administrativa.
RECURSOS	✓ La declaración de responsabilidad pone fin a la vía administrativa. ✓ Posibilidad de interponer recurso potestativo de reposición. ✓ Impugnación jurisdiccional a través del recurso contencioso-administrativo.
RESPONSABILIDAD PENAL Y RESPONSABILIDAD CIVIL DERIVADA DEL DELITO	✓ Se entenderá sin perjuicio de pasar, si procede, el tanto de culpa a los Tribunales competentes (art. 36.6). ✓ La responsabilidad penal del personal al servicio de las AAPP, así como la responsabilidad civil derivada del delito, se exigirá de acuerdo con lo previsto en la legislación correspondiente.

RESPONSABILIDAD PENAL Y RESPONSABILIDAD CIVIL DERIVADA DEL DELITO (cont.)	La exigencia de responsabilidad penal del personal al servicio de las AAPP no suspenderá los procedimientos de reconocimiento de responsabilidad patrimonial que se instruyan, salvo que la determinación de los hechos en el orden jurisdiccional penal sea necesaria para la fijación de la responsabilidad patrimonial (art. 37 LRJSP).

9. La indemnización

La reparación del daño causado al lesionado se traduce en una indemnización.

9.1. *Indemnización (art. 34 LRJSP)*

Esquema 106. Indemnización (art. 34 LRJSP)

INDEMNIZACIÓN (art. 34 LRJSP)	
OBJETO DE LA INDEMINZACIÓN	• **Las lesiones** • Sólo las producidas al particular provenientes de daños que éste **no tenga el deber jurídico de soportar** de acuerdo con la Ley, por tanto, los daños antijurídicos. • En los casos de responsabilidad patrimonial a los que se refiere los apartados 4 y 5 del art. 32, serán indemnizables los daños producidos en el plazo de los cinco años anteriores a la fecha de la publicación de la sentencia que declare la inconstitucionalidad de la norma con rango de ley o el carácter de norma contraria al Derecho de la Unión Europea, salvo que la sentencia disponga otra cosa.

QUEDAN FUERA DE LA INDEMNIZACIÓN	• Los daños que se deriven de hechos o circunstancias que no se hubiesen podido prever o evitar según el estado de los conocimientos de la ciencia* o de la técnica existente en el momento de producción de aquellos, todo ello sin perjuicio de las prestaciones asistenciales o económicas que las leyes puedan establecer para estos casos. * Se introduce con la Ley 4/1999, para salir al paso con las indemnizaciones que se produjeron a favor de personas infectadas por el VIH a consecuencia de transfusiones llevadas a cabo en hospitales públicos antes que se conociera la existencia del virus y de la subsiguiente enfermedad. Con esta cláusula surge el debate entorno al riesgo socialmente asumible y entorno al nivel de los conocimientos que deben exonerar.
CÁLCULO DE LA INDEMNIZACIÓN	• Con arreglo a los **criterios de valoración** establecidos en la legislación fiscal, de expropiación forzosa y demás normas aplicables, ponderándose, en su caso, las valoraciones predominantes en el mercado. • En los casos de muerte o lesiones corporales se podrá tomar como referencia la valoración incluida en los baremos de la normativa vigente en materia de Seguros obligatorios y de la Seguridad Social. • La **cuantía** se calculará con referencia al **día en que la lesión efectivamente se produjo**, sin perjuicio de su **actualización* a la fecha en que se ponga fin al procedimiento** de responsabilidad con arreglo al Índice de Garantía de la Competitividad, fijado por el Instituto Nacional de Estadística, y de **los intereses**** que procedan por demora en el pago de la indemnización fijada, los cuales se exigirán con arreglo a lo establecido en la Ley General Presupuestaria (Ley 47/2003) o, en su caso, a las normas presupuestarias de las CCAA. * Introducido por la Ley 4/1999. ** Destacar la STC 69/1996, de 18 de abril en relación a la discusión sobre la cuantía y el cálculo de los intereses debidos por la Administración, la cual distingue dos tipos de intereses: intereses sustantivos e intereses procesales. En relación a los intereses de demora destacar esta misma sentencia además de las SSTC, 23/1997, de 11 de febrero y 141/1997, de 15 de septiembre, donde se plasma la doctrina tendente a la igualdad de trato. Por otra parte, en relación a los intereses frente a la Administración en materia contractual, el art. 198.4 de la LCSP dispone que "La Administración tendrá la obligación de abonar el precio dentro de los treinta días siguientes a la fecha de aprobación de las certificaciones de obra o de los documentos que acrediten la conformidad con lo dispuesto en el contrato de los bienes entregados o servicios prestados, sin perjuicio de lo establecido en el apartado 4 del artículo 210, y si se demorase, deberá abonar al contratista, a partir del cumplimiento de dicho plazo de treinta días los intereses de demora y la indemnización por los costes de cobro en los términos previstos en la Ley 3/2004, de 29 de diciembre, por la que se establecen medidas de lucha contra la morosidad en las operaciones comerciales. Para que haya lugar al inicio del cómputo de plazo para el devengo de intereses, el contratista deberá haber cumplido la obligación de presentar la factura ante el registro administrativo correspondiente en los términos establecidos en la normativa vigente sobre factura electrónica, en tiempo y forma, en el plazo de treinta días desde la fecha de entrega efectiva de las mercancías o la prestación del servicio.

MEDIOS INDEMNIZATORIOS	• La indemnización procedente podrá sustituirse por una compensación en **especie** o ser abonada mediante pagos periódicos, cuando resulte más adecuado para lograr la reparación debida y convenga al interés público, siempre que exista acuerdo con el interesado.
QUÉ SUCEDE SI LA ADMINISTRACIÓN NO PAGA? (arts. 24 y 17 Ley 47/2003, GP)	• Si la Administración no pagara dentro de los tres meses siguientes a la notificación de la resolución judicial o del conocimiento de la obligación deberá abonar el interés legal fijado cada año en la Ley de Presupuestos, sobre la cantidad debida y desde que el acreedor reclame por escrito el cumplimiento de la obligación.

10. RESPONSABILIDAD POR ACTOS LEGISLATIVOS

- La LRJSP contempla la posibilidad de indemnizar a los particulares por la aplicación de "actos legislativos de naturaleza no expropiatoria".
- La LRJSP también prescribe sobre la responsabilidad del Estado legislador y establece lo supuestos en los que esta surgirá siempre que se cumplan los requisitos generales de responsabilidad patrimonial.

10.1. Responsabilidad por actos legislativos (art. 32.3 LRJSP)

ESQUEMA 107. Responsabilidad por actos legislativos (art. 32.3 LRJSP)

RESPONSABILIDAD POR ACTOS LEGISLATIVOS	
REQUISITOS	• Actos legislativos de naturaleza no expropiatoria. • Que los particulares no tengan el deber jurídico de soportarlos. • Que la indemnización se establezca en los propios actos legislativos, así como los términos que en ella se especifiquen.

10.2. Responsabilidad del Estado legislador (art. 32.3 LRJSP)

ESQUEMA 108. Responsabilidad del Estado legislador (art. 32.3 LRJSP)

RESPONSABILIDAD DEL ESTADO LEGISLADOR (Art. 32, apartados, 3,4,5 y 6 LRJSP)	

SUPUESTOS E INDEMINZACIÓN	• Cuando los daños deriven de la aplicación de una norma con rango de ley declarada inconstitucional, siempre que concurran los requisitos del apartado 4.
	✓ Si la lesión es consecuencia de la aplicación de una norma con rango de ley declarada inconstitucional, procederá su indemnización cuando el particular haya obtenido, en cualquier instancia, sentencia firme desestimatoria de un recurso contra la actuación administrativa que ocasionó el daño, siempre que se hubiera alegado la inconstitucionalidad posteriormente declarada (art. 32.4).
	• Cuando los daños se deriven de la aplicación de una norma contraria al Derecho de la Unión Europea, de acuerdo con lo dispuesto en el apartado 5.
	✓ Si la lesión es consecuencia de la aplicación de una norma declarada contraria al Derecho de la Unión Europea, procederá su indemnización cuando el particular haya obtenido, en cualquier instancia, sentencia firme desestimatoria de un recurso contra la actuación administrativa que ocasionó el daño, siempre que se hubiera alegado la infracción del Derecho de la Unión Europea posteriormente declarada. Asimismo, deberán cumplirse todos los requisitos siguientes:
	  a) La norma ha de tener por objeto conferir derechos a los particulares.
	  b) El incumplimiento ha de estar suficientemente caracterizado.
	  c) Ha de existir una relación de causalidad directa entre el incumplimiento de la obligación impuesta por la Administración responsable por el Derecho de la Unión Europea y el daño sufrido por los particulares.
	• La sentencia que declare la inconstitucionalidad de la norma con rango de ley o declare el carácter de norma contraria al Derecho de la Unión Europea producirá efectos desde la fecha de su publicación en el BOE o en el DOUE, según el caso, salvo que en ella se establezca otra cosa.

11. Responsabilidad patrimonial del Estado por el funcionamiento de la Administración de Justicia

11.1. Responsabilidad patrimonial del Estado por el funcionamiento de la Administración de Justicia (art. 32.7 LRJSP)

Esquema 109. Responsabilidad patrimonial del Estado por el funcionamiento de la Administración de Justicia (art. 32.7 LRJSP)

RESPONSABILIDAD PATRIMONIAL DEL ESTADO POR EL FUNCIONAMIENTO DE LA ADMINISTRACIÓN DE JUSTICIA (Art. 32.7 LRJPSP)	
• La LRJSP nos remite a la regulación establecida en la Ley Orgánica 6/1985, de 1 de julio, del Poder Judicial.	
Art. 121 CE	• Los daños causados por error judicial, así como los que sean consecuencia del funcionamiento anormal de la Administración de Justicia, darán derecho a una indemnización a cargo del Estado, conforme a la Ley.

REQUISITOS	• Daño:
	  ✓ Efectivo
	  ✓ Evaluable económicamente
	  ✓ Individualizado con relación a una persona o grupo de personas
	• La mera revocación o anulación de las resoluciones judiciales no presupone por sí sola derecho a indemnización.

SUPUESTOS	• Funcionamiento anormal de la Administración de Justicia. • Error judicial.
RECLAMACIÓN	• El interesado dirigirá su petición indemnizatoria directamente al Ministerio de Justicia, tramitándose de acuerdo a las normas reguladoras de la responsabilidad patrimonial del Estado. • Contra esta resolución cabrá recurso contencioso-administrativo. • La acción prescribe al año de que pudiera ejercitarse.

11.2. Funcionamiento anormal de la Administración de Justicia (art. 32.8 LRJSP)

ESQUEMA 110. Funcionamiento anormal de la Administración de Justicia (art. 32.8 LRJSP)

FUNCIONAMIENTO ANORMAL DE LA ADMINISTRACIÓN DE JUSTICIA
• El Consejo de Ministros fijará el importe de las indemnizaciones que proceda abonar cuando el Tribunal Constitucional haya declarado, a instancia de parte interesada, la existencia de funcionamiento anormal en la tramitación de los recursos de amparo o de las cuestiones de inconstitucionalidad. • El procedimiento para fijar el importe de las indemnizaciones se tramitará por el Ministerio de Justicia, con audiencia al Consejo de Estado.

12. RESPONSABILIDAD PATRIMONIAL DE LAS ADMINISTRACIONES PÚBLICAS POR LOS DAÑOS Y PERJUICIOS CAUSADOS A TERCEROS DURANTE LA EJECUCIÓN DE CONTRATOS

12.1. Responsabilidad patrimonial de las Administraciones Públicas por los daños y perjuicios causados a terceros durante la ejecución de contratos (art. 32.9 LRJSP)

ESQUEMA 111. Responsabilidad patrimonial de las Administraciones Públicas por los daños y perjuicios causados a terceros durante la ejecución de contratos (art. 32.9 LRJSP)

DAÑOS Y PERJUICIOS CAUSADOS A TERCEROS DURANTE LA EJECUCIÓN DE CONTRATOS	
PROCEDIMIENTO Y SUPUESTOS	• Seguirá el procedimiento previsto en la LPACAP para determinar la responsabilidad de las Administraciones Públicas por los daños y perjuicios causados a terceros durante la ejecución de contratos • Cuando sean consecuencia de una orden inmediata y directa de la Administración o de los vicios del proyecto elaborado por ella misma sin perjuicio de las especialidades que, en su caso establezca el Real Decreto Legislativo 3/2011, de 14 de noviembre, por le que se aprueba el TRLCSP hoy derogado por la Ley 9/2017, de 8 de noviembre, de Contratos del Sector Público, por la que se transponen al ordenamiento jurídico español las Directivas del Parlamento Europeo y del Consejo 2014/23/UE y 2014/24/UE, de 26 de febrero de 2014.